299

N. McDOUGAL
FORBES HOUSE

N. McDougal

go Nick

McDougal

HOME

N. McDOUGAL

I

AM

D1260141

Cuentos y más cuentos

Cuentos

y más cuentos

JOHN M. PITTARO

D. C. Heath and Company, Boston

Preface

Cuentos y más cuentos is a collection of stories made available to readers in the early part of the course. With emphasis on the audio-lingual approach in speaking featured today, the story material supplies the student with a splendid opportunity for oral self-expression. If he must learn to speak Spanish and acquire some degree of fluency, to talk about different situations in life is the best choice of topics because they are meaningful to him.

No apology is offered for the simple style used in the first thirty stories. It was done to give the student plenty of reading experience and to cover ground when reading is begun in the course. In the last twenty stories of established authors, simplification was necessary. They wrote those stories for a Spanish-speaking public with a wide cultural background which our students do not have in the junior and senior high schools. While the stories have been simplified, they maintain a natural style intended to promote the acquisition of a number of pattern sentences, useful idioms, and a practical vocabulary of real conversational value. The constant use of basic words and pattern sentences employed over and over again, establishes a solid basis for daily speech forms of high frequency.

The stories in the book give a composite picture of Spanish and Spanish American life. The variety of plots and people make it possible for the student to see a parade of types pass before his eyes. The many traits of the Spanish character are mirrored in the different selections. The scenes in their present form bring a considerable amount of varied reading matter which the pupil can understand and appreciate. These short dramas of intrigue, surprise, excitement, and heroism offer him an opportunity to see the kind of problems which Spanish-speaking people face as they live from day to day. Furthermore, the collection has a fine balance of the serious with the jocular.

The exercises in the book emphasize speech-pattern sentences which cover a wide area of conversational material. The constant use of model sentences will develop, through practice, a useful stock of linguistic material to describe common everyday situations. With this matter under control, the student will have a linguistic capital which he can use effectively and on the spot to express himself.

In the present period during which conversation plays such an important role, reading and understanding the foreign language still remains a major objective. It supplies the student with an incentive for further exploration in the fields of science and literature. It offers the student a vast and ever-changing panorama of scenes and situations which create a permanent interest in the language and people of Spain and Spanish America.

For further practice in speaking, it is recommended that the anecdotes and scenes from the longer stories be dramatized and acted before the class. While suggestions have been given in the book, that is only the beginning. Every opportunity should be given the students who have a flair for the dramatic arts, to act or write up scenes from the stories they have read. From the linguistic point of view, learning the foreign language then becomes alive, real, and vital.

To summarize, a collection of anecdotes and short stories offers an interesting program of reading and the best medium of promoting the acquisition of a facility for self-expression in the new language. To talk about the different phases of life as portrayed in the story-form is to talk about subjects with which the student is quite familiar and of deep interest to him. In so doing, he acquires, by constant use, control of the language through conversation, associating meaning with the spoken words. With a number of pattern sentences, the student becomes confident of his linguistic ability.

I wish to express my deep gratitude to Dr. Vincenzo Cioffari, Modern Language Editor, and to the editorial staff of D. C. Heath and Company for their cooperation and the many constructive suggestions. Thanks are also due to Mr. Gil Miret, who has done much to enliven the book with his excellent line drawings.

J. M. P.

Contents

PAGE

Cuentos y más cuentos

Dos
y no uno

Juanito, un niño <u>precioso</u> [1] de siete años, se <u>acerca</u> a la <u>maestra</u> y le da una <u>cajita</u>. [2] Al <u>abrirla</u> [a] ve que es un <u>pastel</u> [3] de su madre. Muy contenta por el <u>regalo</u>, [4] dice al niño:
— Muchas gracias, Juanito. Esta tarde voy a hablar [b] con tu madre por teléfono <u>para darle las gracias</u> [c] por el pastel [5] que me has <u>traído</u>. [5]
El niño se <u>queda un momento pensativo</u>. [6] Parece que quiere decir algo, pero no se decide. [7] Entonces la maestra <u>le sonríe</u> y le pregunta:
— ¿Quieres decirme algo, Juanito?
— Sí, señorita. Dígame, ¿<u>no podría usted</u> darle las gracias por dos pasteles?

---

[1] precioso : muy hermoso, muy lindo [2] una cajita : una caja pequeña [3] un pastel : una especie de pan dulce o bizcocho [4] el regalo : el presente [5] me has traído : me has dado [6] pensativo : pensando [7] no se decide : no sabe qué hacer

IDIOMS

a) *al abrirla*   upon opening it
b) *voy a hablar*   I am going to speak
c) *dar las gracias a alguien*   to thank someone
d) *tener . . . años*   to be . . . years old

WORD STUDY

I. What English words and meaning do you recognize from
   contento, mucho, el momento, el teléfono, decidirse?

II. Match the opposite of the words in the first line with those
    of the second:

    dar, abrir, mucho, preguntar, contento   ABRIR TO OPEN
    poco, triste, contestar, recibir, cerrar

COMPREHENSION

MAESTRA TEACHER

I. Sentence Formation — Complete in accordance with the text:
   1. Juanito es un niño de . . .   2. Él da una cajita a . . .
   3. La maestra abre . . .   4. El niño habla . . .   5. La
   maestra le da las gracias . . .

II. Idioms — Say the following sentences entirely in Spanish:
    1. *On opening* la cajita ella ve un pastel.   2. *Juanito is going
    to speak* a la maestra.   3. Ella *thanks* la madre de Juanito.
    4. El niño *is* siete años.   5. La maestra *wants to speak* a la
    madre.

    quiere hablar

AURAL–ORAL PRACTICE

PREGUNTAS   1. ¿Quién es Juanito?   2. ¿Cuántos años tiene?
3. ¿A quién se acerca?   4. ¿Qué da a la maestra?   5. ¿Qué hay
en la cajita?   6. ¿Por qué está contenta la maestra?   7. ¿Con
quién va a hablar por teléfono?   8. ¿Qué va a hacer?   9. ¿A
quién quiere hablar Juanito?   10. ¿Qué le pregunta la maestra?
11. ¿Qué se ha comido Juanito?

ORAL COMPOSITION — Tell, in a few short sentences in Spanish,
what actions Juanito performed.   Do the same for his teacher.

Pobre
Joselito

A las siete [a] de aquella noche don Ricardo trataba de colgar [b] un cuadro en la sala. De pronto [c] se oyó un grito [1] penetrante de Joselito. Al mismo tiempo salió el niño corriendo a refugiarse en las faldas de su mamá, llorando amargamente. 5

— ¿ Qué ha pasado,[2] Joselito ? — inquirió la mamá.

— Papá estaba colgando un cuadro en la pared — explicó Joselito sollozando [3] — y se le cayó sobre el pie [4] . . .

— Pero eso no es cosa para llorar; más bien [5] yo me hubiera reído.[6] 10

— Yo también me reí, mamá . . .

IDIOMS

a) *a las siete*   at seven o'clock
b) *tratar de colgar*   to try to hang
c) *de pronto*   suddenly, all of a sudden

WORD STUDY

I. What English words and meaning do you recognize from *la mamá, el papá, explicar, penetrante, inquirir*?

II. Match the synonyms in the first line with those of the second:

sobre, la mamá, el niño, el papá, aquel
ese, el padre, en, la madre, el chico

[1] se oyó un grito : oyeron un grito   [2] ¿ Qué ha pasado ? : ¿ Qué ha ocurrido ?   [3] sollozando : llorando   [4] se le cayó sobre el pie : cayó sobre su pie   [5] más bien : al contrario   [6] yo me hubiera reído : yo habría reído

3

COMPREHENSION

be able
answer

Dialog — Learn by heart:
- ¿ De quién hablamos?
- Hablamos de Joselito y su padre.
- ¿ Qué trata de hacer el padre ?
- Trata de colgar un cuadro.
- ¿ Qué le pasa al padre ?
- Se le cae el cuadro sobre el pie.
- ¿ Quién llora ?
- Joselito llora.

AURAL–ORAL PRACTICE

PREGUNTAS 1. ¿ Cuál es el título de este cuento ? 2. ¿ Qué trataba de hacer don Ricardo ? 3. ¿ A qué hora pasó esta escena ? 4. ¿ Qué se oyó de pronto ? 5. ¿ En dónde se refugió Joselito ? 6. ¿ Qué tal lloraba el niño ? 7. ¿ Qué le preguntó su madre ? 8. ¿ Qué le cayó sobre el pie a don Ricardo ? 9. ¿ Qué habría hecho la mamá de Joselito ? 10. ¿ Qué había hecho Joselito ?

ORAL COMPOSITION — Tell in Spanish what actions were performed by the father, Joselito and the mother. Use short sentences.

Prueba
absoluta

Como se sabe, [1] los padres siempre defienden a sus hijos. También se sabe que hay alumnos que no se preparan para los exámenes [a] finales. Éste es el caso que ocurrió al estudiante Rodríguez.

Cuando el señor Rodríguez vio la muy mala nota que [5] recibió su hijo en el examen decidió ir a ver [b] al profesor. Éste soportó una tempestad de quejas y protestas, pero al fin [c] dijo al padre:

— El ejercicio de su hijo es igual al de su compañero de al lado.[2]   [10]

— ¡ Bah ! — responde el padre — ¿ y no será [3] que el compañero ha copiado el ejercicio de mi hijo ?

— No señor. El ejercicio comprendía [4] diez preguntas. En las nueve primeras las respuestas de ambos son iguales en todo detalle. Pero en la décima pregunta, el otro [15] muchacho escribió:

— No la sé.

Y su hijo escribió:

— Ni yo tampoco.[5]

IDIOMS

a) *prepararse para los exámenes*   to prepare oneself for examinations
b) *decidir ir a ver*   to decide to go (and) see
c) *al fin*   at last

---

[1] se sabe : es sabido   [2] de al lado : de su lado   [3] no será : no es posible   [4] comprendía : tenía   [5] Ni yo tampoco. : Yo no la sé tampoco.

WORD STUDY

I. What English words and meaning do you recognize from *defender, el examen, el compañero, el estudiante, absoluto?* Find more words of the same kind in the text.

II. Match the meaning of the words in the first line with those of the second:

> *ambos, el lado, la respuesta, también, tampoco*
> answer, also, neither, both, side

COMPREHENSION

I. Sentence Formation — Complete in accordance with the text:
1. Los padres defienden . . . 2. Los alumnos se preparan para . . . 3. El padre decidió ir a ver . . . 4. Su hijo ha copiado el ejercicio de . . . 5. Las respuestas de ambos son . . .

II. Dialogs — Act before the class.
(a) — ¿ Le gusta este cuento ?
— Sí, lo encuentro interesante.
— ¿ De quién se habla ?
— De dos estudiantes y el padre de uno, y un profesor.
(b) — ¿ Es usted el profesor de mi hijo ?
— Sí, señor. ¿ En qué puedo servirle ?
— ¿ Por qué recibió Pepe tan mala nota ?
— Copió las respuestas de otro muchacho.

AURAL–ORAL PRACTICE

PREGUNTAS 1. ¿ Qué hacen siempre los padres ? 2. ¿ Hay algunos alumnos que no se preparan para los exámenes finales ? 3. ¿ Quién era uno de esos estudiantes ? 4. ¿ Qué recibió el padre del estudiante ? 5. ¿ A quién fue a ver el padre ? 6. ¿ Qué soportó el profesor ? 7. ¿ Qué dijo el profesor al padre ? 8. ¿ Copió su hijo o el otro muchacho ? 9. ¿ Cuál fue la última respuesta del compañero de Rodríguez ? 10. ¿ Cuál fue la última respuesta del estudiante Rodríguez ?

ORAL COMPOSITION — Use the set of questions as a guide for an oral summary. At first each pupil contributes one sentence, later, two or three students summarize the whole selection.

Estos niños

El señor Francisco Ramos es un padre <u>moderno</u>. Cree que los niños tienen <u>ciertos derechos</u> que se <u>deben respetar</u>.[1] Por ejemplo, su hijo Panchito, que tiene siete años, ha tenido varias conversaciones con su padre.

En el <u>último</u> <u>cambio</u> de palabras de una conversación 5 con su padre, Panchito se decidió a <u>abandonar</u> [a] el <u>hogar</u>. Sin <u>perder</u> tiempo <u>subió</u> a su cuarto e <u>hizo</u> un <u>paquete</u> pequeño con algunas cosas que encontró a mano.[2] Luego salió de casa [b] sin ser visto por su padre.

---

[1] se deben respetar : debemos respetar   [2] a mano : cerca

En la esquina de la calle estaba Panchito meditando cuando se le acercó [1] el policía del barrio. [2] Como éste sospechaba algo, le preguntó:

— ¿ Qué haces aquí ?

5 Y contestó el niño muy tranquilo:

— Estoy escapando de mi casa [3]..., pero me parece que no puedo seguir porque papá me ha prohibido cruzar la calle solo. ¿ Qué voy a hacer ahora ?

— Vete a casa [4] y pregúntale a tu papá.

IDIOMS

a) *decidir* or *decidirse a abandonar*   to decide to leave
b) *salir de casa*   to leave the house

WORD STUDY

I. What English words and meaning do you recognize from *respetar, encontrar, meditar, prohibir, tranquilo*? Find more words of the kind in the text.

II. In each line select the word which does not belong to the group:
   1. niño   hijo   padre   abuelo   cambio   mamá
   2. año   mes   cosa   otoño   semana   tiempo
   3. techo   piso   cuarto   casa   paquete   puerta
   4. calle   señor   médico   policía profesor caballero
   5. luego   frase   palabra pregunta respuesta conversación

COMPREHENSION

I. Put the following sentences in their logical order:
   1. Panchito no cruza la calle.
   2. El policía le prohibió cruzar la calle.
   3. El señor Ramos es el padre de Panchito.

---

[1] se le acercó : fue hacia él   [2] del barrio : del distrito, de la zona   [3] Estoy escapando de mi casa. : Me voy de casa.   [4] Vete a casa. : Vuelve a tu casa.

4. Salió de su casa sin ser visto.
5. Panchito cree que los niños tienen sus derechos.
6. Panchito decidió no abandonar su casa.

II. Complete:
1. Le prohibo cruzar la calle.
          jugar con Panchito.
          ir al cine.
          . . .

2. ¿ Qué va a hacer usted ahora ?
          la semana próxima ?
          mañana ?
          . . .

3. He decidido abandonar mi casa.
          padres.
          niños.
          . . .

4. La madre se acercó al niño.
          policía.
          casa.
          . . .

AURAL–ORAL PRACTICE

PREGUNTAS 1. ¿ Qué es el señor Ramos ? 2. ¿ Qué derechos se deben respetar ? 3. ¿ Cuántos años tiene Panchito ? 4. ¿ Qué han tenido padre e hijo ? 5. ¿ Qué decidió hacer Panchito después de la última conversación ? 6. ¿ A dónde subió ? 7. ¿ De dónde salió ? 8. ¿ Fue visto Panchito por su padre ? 9. ¿ Dónde estaba meditando Panchito ? 10. ¿ Quién se le acercó ? 11. ¿ Por qué se le acercó ? 12. ¿ Qué preguntó el policía al niño ? 13. ¿ Qué le contestó Panchito ? 14. ¿ Por qué no puede seguir ? 15. ¿ Qué le dice el policía ?

ORAL COMPOSITION — Use the set of questions as a guide for an oral summary.

No era
torpe

En la fábrica del señor Medina había obreros inteligentes
y también los había torpes. Marcos Gómez era quizá uno
de los más listos. Cierto día [1] el patrón le habló así:
— Marcos, no me explico su manera de vivir. Usted
5 gana cincuenta dólares por semana.[2] Tengo entendido
que [3] tiene mujer y cinco hijos. Me dicen que se ha comprado un magnífico coche. Además, se está construyendo
una casa grande y cómoda. ¿Cómo puede usted hacer
todo eso con cincuenta dólares por semana? No lo com-
10 prendo. ¿Cuál es el secreto de su éxito?
— Señor Medina, no es un secreto. La fórmula es muy
fácil. Hay en la fábrica doscientos obreros. Todos los
sábados [4] cuando cobramos, rifo [5] mi paga a dólar la papeleta.[6] El que gana se lleva a casa mis cincuenta dólares,
15 pero yo me llevo . . . doscientos.

WORD STUDY

I. What English words do you recognize from *la manera, el
dólar, magnífico, construir, comprender*?

II. Match the opposite of the words in the first line with those
of the second.
        torpe, vivir, ganar, comprar, grande
        vender, pequeño, listo, gastar, morir

---

[1] cierto día : un día   [2] por semana : cada semana, todas las semanas   [3] Tengo
entendido que : Entiendo que   [4] Todos los sábados : Cada sábado   [5] rifo :
vendo billetes para   [6] la papeleta : el billete

COMPREHENSION

I. Choose the proper word between the parentheses:
 1. Usted está (saliendo, construyendo, traduciendo) una casa.
 2. Los obreros (trabajaban, tenían, construían) en la fábrica.
 3. Nosotros (tenemos, gastamos, vivimos) en el pueblo.
 4. Usted (será, ganará, venderá) cincuenta dólares.
 5. El patrón (ha vendido, ha hablado, ha tenido) así.
 6. Yo no (comprendo, paso, vendo) su secreto.
 7. Juan (hará, venderá, ganará) a un dólar la papeleta.
 8. Usted y yo (vivimos, compramos, tenemos) mujer e hijos.
 9. Este señor (salía, vendía, oía) las papeletas.
 10. Marcos (se lleva, comprende, recibe) a casa doscientos dólares.

II. Dialogs — Learn by heart.
 (a) — ¿ Le gusta la anécdota de hoy ?
  — Sí, siempre me gustan las anécdotas.
  — ¿ Por qué las anécdotas ?
  — Porque en general me hacen reír.
 (b) — ¿ Es usted el señor Medina ?
  — Sí, señor, a sus órdenes.
  — He venido para saber una cosa.
  — Dígame usted.
  (Más detalles . . .)

AURAL-ORAL PRACTICE

PREGUNTAS 1. ¿ Dónde pasa esta escena ? 2. ¿ Qué clase de obreros había en la fábrica ? 3. ¿ Qué clase de hombre era Marcos Gómez ? 4. ¿ Quién le habló cierto día ? 5. ¿ Cuántos dólares gana Marcos por semana ? 6. ¿ Cuántas personas hay en su familia ? 7. ¿ Qué se ha comprado Marcos ? 8. ¿ Qué se está construyendo ? 9. ¿ Puede hacer todo eso con cincuenta dólares por semana ? 10. ¿ Qué hace Marcos todos los sábados ? 11. ¿ Por cuánto vende la papeleta ? 12. ¿ Cuánto se lleva a su casa todas las semanas ?

ORAL COMPOSITION — Say in Spanish that (a) Mr. Molina owns the factory (b) that he speaks to Marcos (c) that he can't understand the secret of his success (d) that Marcos is a clever man.

¡Otra vez, papá!

La acción de este cuento pasa en un coche de ferrocarril entre un padre y su hijo de seis años. El chiquillo, que hace sus primeros viajes,[a] insiste en ir [b] asomado a la ventanilla. El padre le reprende, pero inútilmente. Para corregirlo, le quita la gorra de pronto por la espalda y ⁵ finge que una ráfaga de viento[1] se la lleva. Todo esto pasa en un segundo, y él la oculta bajo el asiento.

— ¿ Ves ? — le dice el padre al asombrado chiquillo.

— ¡ Ya te lo decía yo ![2] Ahora no tienes gorra. ¿ Qué dirá mamá al verte llegar a casa sin gorra ? ¹⁰

El chiquillo rompe en amargo llanto. El padre, que no quiere prolongar la pena de su hijo, le dice:

— Bien, si me prometes ser bueno, te traeré la gorra otra vez. Si silbo fuerte dos veces, verás cómo vuelve la gorra. ¹⁵

Y, en efecto,[c] el padre silba dos veces, y en seguida [d] pone de nuevo [e] la gorra sobre la cabeza de su hijo. El chiquillo da palmadas [f] y exclama con gran alegría:

— ¡ Otra vez,[e] papá ! — y al mismo tiempo arroja la gorra por la ventanilla. ²⁰

---

[1] una ráfaga de viento : un movimiento fuerte de viento   [2] ¡ Ya te lo decía yo ! : ¡ Te lo dije varias veces !

IDIOMS

a) *hacer un viaje*   to take a trip
b) *insistir en ir*   to insist on going
c) *en efecto*   in fact, as a matter of fact
d) *en seguida*   immediately, at once
e) *de nuevo = otra vez*   again, once more
f) *dar palmadas*   to clap, applaud

WORD STUDY

What English words and meaning do you recognize from *la acción, el coche, el segundo, prolongar, exclamar*? Find more words of the same kind in the text.

COMPREHENSION

I. Tell whether the following statements are true or false. If they are false make the necessary corrections:
  1. El padre no quiere prolongar la pena de su hijo.
  2. Todo esto pasa en un coche de ferrocarril.
  3. El padre oculta la gorra bajo el asiento.
  4. El niño da las gracias a su padre.
  5. El chiquillo tiene diez años.
  6. El hijo no rompe a llorar.

II. Dialog — Learn by heart.
  — ¿ Le gusta viajar a usted ?
  — Sí, me gusta mucho viajar.
  — ¿ Cómo prefiere usted hacerlo ?
  — Yo prefiero viajar en avión o en coche.
  — ¿ No le gusta viajar por ferrocarril ?
  — No, porque se pierde mucho tiempo.

III. Translate the following sentences, using the idiomatic expressions found between parentheses:
  1. The two are taking a trip to Madrid (*hacer un viaje*).
  2. The father again takes off his son's cap (*de nuevo*). 3. The child insists on throwing out his cap (*insistir en arrojar*).
  4. His father immediately takes off his son's cap (*en seguida*).
  5. As a matter of fact the father does whistle (*en efecto*).

AURAL–ORAL PRACTICE

PREGUNTAS   1. ¿ Dónde pasa la acción de este cuento ? 2. ¿ Quiénes son los dos personajes del cuento ? 3. ¿ Cuántos años tiene el chiquillo ? 4. ¿ Qué insiste en hacer ? 5. ¿ Quién le reprende ? 6. ¿ Quién quita la gorra al chiquillo ? 7. ¿ Dónde oculta el padre la gorra ? 8. ¿ Por qué rompe el hijo en amargo llanto ? 9. Si quiere la gorra, ¿ qué debe hacer ? 10. Si el padre silba, ¿ qué cosa vuelve ? 11. ¿ Cuántas veces silba el padre ? 12. ¿ Qué cosa vuelve en seguida ? 13. ¿ Qué exclama el chiquillo ? 14. Cuando exclama eso, ¿ qué hace ?

ORAL COMPOSITION — Use the set of questions as a guide for an oral summary.

Era
tacaño[1]

Este episodio pasó en Glasgow, Escocia. MacGregor, como algunos escoceses, era bastante tacaño. Como iba a pasar las vacaciones al campo, subió con una maleta a un ómnibus. El conductor le pidió el importe del pasaje, 5 ocho chelines. MacGregor se negó a pagarlos.[a]

— Sólo seis chelines le doy. No voy a pagar [b] un centavo más.

— Señor, le he dicho que la tarifa es ocho chelines. Si usted no quiere pagar ese dinero, tiene que bajarse.[c]

10 MacGregor se queda esperando para ver si recibe la rebaja de los dos chelines.

— ¿Quiere aceptar los seis chelines? — insiste MacGregor.

El conductor, colérico[2] por la terquedad[3] del viajero, 15 le grita:

— Ahora veremos si se baja o no.

[1] tacaño : persona que no quiere dar dinero a nadie   [2] colérico : furioso   [3] la terquedad : la obstinación

De pronto se apodera el conductor de la maleta ᵈ del
escocés, y la arroja por la ventanilla cuando el ómnibus
pasa por un puente.

MacGregor, ciego de ira,¹ le grita al conductor:

— ¡ Ah ! ¡ Bandido ! ¡ Asesino ! ² ¡ Criminal ! . . . No 5
sólo quiere cobrarme ocho chelines por lo que vale seis,
sino que ahora trata de ahogar en el río a mi hijito que
está en la maleta.

IDIOMS

a) *Se negó a pagarlo.*   He refused to pay it.
b) *No voy a pagar.*   I'm not going to pay.
c) *Usted tiene que bajarse.*   You have to *or* must get down.
d) *apoderarse de la maleta*   to take hold of *or* seize the valise

WORD STUDY

I. What English words and meaning do you recognize from
el episodio, recibir, aceptar, el bandido, el asesino? Find more
words of the same kind in the text.

II. Match the meaning of the words of the first line with those
of the second.

el centavo, la maleta, dinero, el puente, gritar, el conductor
to shout, bridge, driver, suitcase, cent, money

COMPREHENSION

I. Complete the following statements with the proper words
taken from the second column.

1. No todos los escoceses   a. bandido al conductor.
2. El señor MacGregor pasa   b. a su hijo en la maleta.
3. El conductor pide   c. un asiento del ómnibus.
4. El viajero llama   d. sus vacaciones en el campo.
5. El escocés oculta   e. son tacaños.
6. Pone la maleta en   f. el importe del pasaje.

¹ la ira : la furia   ² el asesino : persona que mata

II. Dialog — Learn by heart.
— ¿ Toma usted el ómnibus para ir a la escuela ?
— Algunas veces sí, y otras veces no.
— ¿ Qué otro medio de transporte usa ?
— En general, tomo el tren.
— ¿ Por qué prefiere el tren ?
— Porque hay una estación cerca de la escuela.

III. Idioms — Complete each sentence with one of the following expressions:

ir a + *inf.*, tener que, decidirse a, de nuevo, negarse a, apoderarse de

1. Yo explico eso . . . al conductor. 2. El hijo . . . tomar el mismo ómnibus. 3. Usted no . . . la maleta del escocés. 4. El escocés . . . pagar los ocho chelines. 5. Nosotros . . . subir al ómnibus para ir allá. 6. El conductor le dice que . . . pagar o bajarse.

AURAL-ORAL PRACTICE

PREGUNTAS 1. ¿ Dónde pasó este episodio ? 2. ¿ Son tacaños todos los escoceses ? 3. ¿ Dónde iba a pasar MacGregor las vacaciones ? 4. ¿ A qué subió ? 5. ¿ Qué pidió el conductor a MacGregor ? 6. ¿ Cuántos chelines le pidió el conductor ? 7. ¿ Cuántos chelines quería darle MacGregor ? 8. ¿ Se bajó del ómnibus ? 9. ¿ Qué arroja el conductor por la ventanilla ? 10. ¿ Cuándo arroja la maleta por la ventanilla ? 11. ¿ Qué le grita MacGregor al conductor ? 12. ¿ Quién estaba en la maleta ?

ORAL COMPOSITION — Use the set of questions as a guide for an oral summary.

¡Esta vez, no!

(handwritten: No hay cuidado / it is nothing / it doesn't matter)

Estamos en una casa de comercio. Hay mucha excitación.[1] ¿ Por qué el desorden [2] general ? El dueño ha perdido en las oficinas un billete de cien pesos. ¡ No hay cuidado ! [3] Todos los empleados son muy honrados. Como prueba de ello, media hora después aparece un 5 empleado en la oficina. Con una sonrisa en los labios entrega al jefe el dinero que ha encontrado.

— Es usted un buen hombre y un empleado honradísimo [4] — le dice el director muy satisfecho. — Pero hay una cosa que yo no comprendo. Yo he perdido un billete de 10 cien pesos y usted me trae diez billetes de diez.

— Lo sé, lo sé muy bien, señor director [5] — contesta el empleado. — Todo tiene una explicación. Es que la primera vez que encontré un billete de cien pesos en el suelo, su propietario no tenía suelto [6] . . . y así no recibí 15 ninguna gratificación.[7]

WORD STUDY

I. What English words and meaning do you recognize from *el propietario, la hora, encontrar, el director, la explicación*? Find more words of the same kind in the text.

II. What do the other words mean on the lines with *sonreír, emplear*, and *perder*? Consult a Spanish-English dictionary.
   1. sonreír: la sonrisa,   sonriente
   2. emplear: el empleado,   el empleo
   3. perder: la pérdida,   el perdedor,   perdido, –a

[1] excitación : agitación   [2] el desorden : la confusión   [3] ¡ No hay cuidado ! : ¡ No es nada !   [4] honradísimo : muy honrado   [5] el director : el jefe   [6] suelto : cambio   [7] ninguna gratificación : ningún premio, ninguna recompensa

19

COMPREHENSION

I. Each of the following statements is followed by a multiple choice. Select the one which makes each statement right.
1. El dueño ha perdido (el comercio, el dinero, el desorden).
2. El empleado entrega (la casa comercial, la gratificación, los billetes) al jefe.
3. Hay mucha (excitación, sonrisa, explicación) en la oficina.
4. El director está muy (honrado, satisfecho, mismo).
5. Yo he perdido (un billete, un jefe, un piano) de cien pesos.
6. Usted recibe (cien pesos, el director, el suelto) del empleado.

II. Dialog — Learn by heart.
— ¿ Le gustaría trabajar / en una casa comercial ?
— Mucho, / pero sólo / después de graduarme.
— ¿ En qué clase de casa / le gustaría trabajar ?
— Me gustaría trabajar / en una casa de ciencia electrónica.
— ¿ Para qué ?
— Para practicar / lo que he aprendido / en física y química.

III. Ask several pupils in the class to give you in Spanish the answers to the following:
1. Why there is a great deal of excitement in the office.
2. How many bills the employee gives the manager.
3. Where the boss has lost the hundred dollar bill. 4. Who returns the money to the boss. 5. How much money the employee has found.

AURAL–ORAL PRACTICE

PREGUNTAS 1. ¿ Dónde hay mucha excitación ? 2. ¿ Qué ha perdido el dueño ? 3. ¿ Qué tal son todos los empleados ? 4. ¿ Quién aparece en la oficina ? 5. ¿ Cuándo aparece ? 6. ¿ Qué entrega al dueño ? 7. ¿ Qué dice éste al empleado ? 8. ¿ Qué es lo que no comprende el dueño ? 9. ¿ Qué gratificación recibió el empleado la primera vez ? 10. ¿ Por qué cambió el billete de cien pesos ?

ORAL COMPOSITION — Use the set of questions as a guide for an oral summary.

¿De quién es el perro?

Era un carpintero que trabajaba en la calle en unas tablas. Estaba cerca de la puerta de una carpintería.[1] A la sombra del banco dormía un perro de lanas.[2] Pasó un gitano y dijo al carpintero:

— Maestro, ¿esquilo[3] al perro?   5

— Esquílelo si quiere — contestó el carpintero con aire indiferente.

El gitano, sin perder tiempo, coge el perro, saca las tijeras y empieza a esquilarlo.[a]

[1] una carpintería : lugar donde trabaja el carpintero   [2] un perro de lanas : perro de pelo largo y abundante (*poodle*)   [3] esquilo : le corto el pelo

— ¿ Le dejo un poco de pelo [b] en la cabeza ?

— Si quiere.

— ¿ Le dejo un poco en las patas ?

— Muy bien, si quiere.

5   — Mire, maestro, el perro parece otro.

Al terminar el gitano su tarea, echó a correr [c] el animal.

— El perro parece otro de veras.[d] El animal estaba tan feo, pero ¡ qué bien parecido lo ha dejado ![1]

— Hombre, me alegro mucho.[2] Es usted una persona

10 de buen gusto.

Limpia el gitano sus tijeras, se las guarda y dice:

— Pues bien,[3] maestro, págueme usted.

Y el carpintero, que seguía trabajando,[e] se encoge de hombros [f] y dice:

15   — ¿ Por qué voy a pagarle si el perro no es mío ?

IDIOMS

a) *empezar a esquilarlo*	to begin to shear it
b) *un poco de pelo*	a little hair
c) *echar a correr = empezar a correr*	to begin to run
d) *de veras*	really, truly
e) *seguir trabajando*	to keep on working
f) *encogerse de hombros*	to shrug one's shoulders

WORD STUDY

I. What English words and meaning do you recognize from *el carpintero, el aire, indiferente, terminar, la persona*? Find more words of the same kind in the text.

II. Mention three other trades, animals, and persons:
    1. carpintero: zapatero, . . . 2. el perro: el gato, . . .
    3. persona: hombre, . . .

---

[1] ¡ qué bien parecido lo ha dejado ! : ¡ qué bien parece !   [2] me alegro mucho : estoy muy contento   [3] Pues bien : Entonces

COMPREHENSION

I. Select the proper subject for the following incomplete sentences: *el perro, el carpintero, el gitano, el banco, quién*
1. . . . trabaja en la calle. 2. . . . quiere esquilar el perro.
3. . . . no quiere pagar al gitano. 4. . . . está cerca de la puerta. 5. ¿ . . . no recibe su paga ? 6. . . . parece otro animal.

II. Series — Learn by heart:
1. El gitano pasa por una calle.
2. Pregunta algo al carpintero.
3. Quiere esquilar el perro.
4. No recibe respuesta del carpintero.
5. Esquila el pobre perro.
6. No recibe paga por su trabajo.

Repeat the series with *yo, usted, nosotros,* as subjects.

III. Idioms — Arrange the words in each group so that they make sense, and tell what the sentences mean in English:
1. (*seguir* + *pres. part.*) trabajando, calle, en, carpintero, el, sigue, la.
2. (*empezar a* + *inf.*) tijeras, el, a, empieza, saca, y, trabajar, gitano, las.
3. (*un poco de* + *noun*) deja, un, cabeza, el, poco, la, pelo, en, de, gitano.
4. (*de veras*) parece, de, animal, otro, el, veras, perro.
5. (*encogerse de hombros*) de, calle, el, la, se encoge, en, hombre, que, hombros, trabaja.

AURAL–ORAL PRACTICE

PREGUNTAS 1. ¿ Dónde trabajaba el carpintero ? 2. ¿ En qué trabajaba ? 3. ¿ Dónde dormía el perro ? 4. ¿ Quién pasó ?
5. ¿ Qué dijo al carpintero ? 6. ¿ Qué sacó el gitano ? 7. Al terminar su tarea el gitano, ¿ qué hizo el perro ? 8. ¿ Qué dijo el carpintero al gitano ? 9. ¿ Por qué se alegraba el gitano ?
10. ¿ Qué dijo el gitano al carpintero al fin ? 11. ¿ Por qué no quiso pagar el carpintero ? 12. ¿ Cuántas personas hablan en este cuento ? 13. ¿ Qué clase de perro era el animal ?

DRAMATIZATION — Have two pupils act out this scene.

Buena respuesta

Todo el mundo ᵃ sabe que hay millonarios en los diferentes países. También se sabe [1] que hay muchos pobres por todas partes.ᵇ En el cuento de hoy se trata de [2] un vagabundo. Después de muchas dificultades logró llegar ᶜ

5 al despacho de un banquero [3] millonario de una gran ciudad en los Estados Unidos.

— ¿ Qué desea usted ? — le preguntó el banquero.

— Señor, pido su protección por sus cariñosos sentimientos de familia.

10 — ¿ Mis cariñosos sentimientos de familia ? — preguntó asombrado el banquero. — ¿ Qué quiere decir ᵈ con eso ? ¿ Quién es usted ? ¿ Es acaso un pariente cuya existencia no conozco ? Dígame, ¿ cuál es el parentesco que nos une ? [4]

— Pues . . . ¡ somos hermanos !

15 — ¿ Hermanos, dice usted ?

— ¿ No somos los dos hijos de Dios ? ¿ No podría usted [5] darme algún dinero ?

— Es verdad.ᵉ Usted tiene razón,ᶠ — dijo el banquero, dándole una moneda de diez centavos.

20 — ¿ No es esto muy poco para dar a un hermano ?

— Al contrario,ᵍ es mucho, vaya usted ahora a ver a todos sus hermanos y pídale a cada uno diez centavos. Si cada hermano le da diez centavos, le aseguro que será usted mucho más rico que yo.

---

[1] se sabe : es sabido   [2] se trata de : hablamos de   [3] un banquero : el jefe de un banco   [4] ¿ cuál es el parentesco que nos une ? : ¿ qué clase de parientes somos ? [5] no podría usted : no puede usted

IDIOMS

a) *todo el mundo*   everybody
b) *por todas partes*   everywhere
c) *lograr llegar*   to succeed in arriving
d) *querer decir*   to mean
e) *Es verdad.*   It is true.
f) *tener razón*   to be right
g) *al contrario*   on the contrary

WORD STUDY

I. What English words and meaning do you recognize from *el millonario, la dificultad, el banquero, la protección, la existencia?* Find more words of the same kind in the text.

II. Pair the words given below into opposites:

poco, rico, recibir, ciudad, pobre, después de
dar, campo, antes de, preguntar, mucho, contestar

COMPREHENSION

I. The following statements are either true or false. Which are false?
1. No hay muchos pobres por todas partes.
2. Esta escena pasa en una ciudad de los Estados Unidos.
3. El vagabundo recibe diez centavos del banquero.
4. El pobre era un pariente del banquero.
5. El millonario no conoce al vagabundo.
6. Todos somos hijos de Dios.

II. Series — Learn by heart:
1. El vagabundo entra en el despacho.
2. Quiere hablar al banquero.
3. Le dice que es hermano del millonario.
4. Quiere de él algún dinero.
5. Recibe una moneda de diez centavos.
6. El vagabundo le dice que eso es muy poco.
Repeat the series with *usted, yo,* and *nosotros* as subjects.

III. Complete each sentence with one of the following idioms:

es verdad, querer decir, todo el mundo, por todas partes, lograr + *inf.*, tener razón, al contrario

1. Hay muchos pobres . . . 2. El vagabundo . . . al banquero. 3. . . . no es millonario. 4. ¿ . . . que todos somos hermanos ? 5. El banquero dice al vagabundo: « Usted . . . ». 6. El vagabundo no es rico, . . . es pobre. 7. ¿ Qué . . . el vagabundo cuando dice que somos hermanos ?

AURAL-ORAL PRACTICE

PREGUNTAS 1. ¿ Cuál es el título de este cuento ? 2. ¿ Qué sabe todo el mundo ? 3. ¿ Qué más se sabe también ? 4. ¿ De quién se trata en este cuento ? 5. ¿ A dónde logró llegar el vagabundo ? 6. ¿ Dónde vivía el banquero ? 7. ¿ Qué preguntó al vagabundo ? 8. ¿ Por qué pide el vagabundo dinero al banquero ? 9. ¿ Cuánto le dio el banquero ? 10. ¿ Son los diez centavos poco o mucho para el vagabundo ? 11. ¿ Cuál es la opinión del banquero ? 12. ¿ Qué debe hacer el vagabundo ? 13. Si recibe diez centavos de cada uno, ¿ será rico o pobre ? 14. ¿ Será más rico que el banquero ? 15. ¿ Le gusta el cuento de hoy ?

DRAMATIZATION — Have two pupils act out this scene before the class.

Buen
negocio — *deal good*

Este episodio pasó entre Pérez y Gómez, gente de campo. Una tarde tibia [1] de primavera, Pérez vendió a Gómez un caballo en [2] cien pesos. Pero cuando Gómez quiso montarlo, el caballo cayó muerto, tan enfermo estaba. Al enterarse Pérez de tal accidente, juzgó conveniente alejarse del pueblo por algún tiempo. Meses después volvió al pueblo y vio a Gómez.

— Mire, Gómez — dijo Pérez. — Quiero excusarme por haberle vendido aquel caballo . . . Lo siento mucho.[a]

— No es nada. No se preocupe — dijo Gómez. — De cualquier manera [b] hice buen negocio. No puedo quejarme. Así que murió el caballo lo escondí para que nadie

supiera [1] lo que había pasado al animal. Luego organicé
una rifa entre la gente del pueblo. Hice cien números a
peso cada uno.[2] Los vendí todos, y luego anuncié al
ganador que se quedaría con [c] el caballo.

5   — ¿ Y quién lo ganó ?

  — Gutiérrez . . .

  — ¿ Y se enojó mucho cuando supo la verdad ?

  — ¡ Por supuesto ! [d] — contestó Gómez.   — Se enojó
tanto que tuve que devolverle lo que había pagado por el
10 billete de la rifa.

IDIOMS

a) *Lo siento mucho.*	I'm very sorry.
b) *de cualquier manera*	anyway, anyhow, in any case
c) *quedarse con*	to keep
d) *por supuesto*	of course, naturally

WORD STUDY

I. What English words and meaning do you recognize from
montar, el accidente, organizar, el número, el episodio? Find
more words of the same kind in the text.

II. Match the opposites of the first line with those of the
second:
    luego, enfermo, alguno, vender, morir, después
    comprar, antes, nacer, ahora, ninguno, bueno

COMPREHENSION

I. Put one of these words instead of the dash in the following
sentences: *hizo, organizó, cayó, supo, dijo, se enojó*
  1. El caballo estaba tan enfermo que — muerto. 2. Pérez
se alejó del pueblo cuando — la verdad. 3. Gómez le —
que había vendido el animal. 4. El ganador no — mucho.
5. ¿ Quién — una rifa entre la gente del pueblo ?

---

[1] para que nadie supiera : y así nadie sabía   [2] a peso cada uno : y cada uno costaba un peso

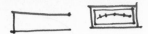

II. Idioms — Recite the following sentences, giving the Spanish equivalent of the italicized English words:

1. El señor murió ayer. *I'm so sorry.* 2. Uno de ellos *kept* el dinero. 3. El hombre *had to go* a Madrid. 4. *In any case* volvió al pueblo. 5. *Of course* él no pudo vender un caballo tan enfermo.

III. To further oral practice in sentence formation, use the substitution table and its parts to recite new combinations.

MODELS — a. Usted quiso comprar un auto el año pasado.

b. El señor López quiso comprar un radio ayer.

Usted	quiso comprar	un caballo	ayer.
El señor Gómez	pudo vender	un auto	la semana pasada.
La señora López	trató de tomar	un libro	el mes pasado.
Mi padre	decidió mirar	un radio	el año pasado.

AURAL–ORAL PRACTICE

PREGUNTAS 1. ¿Entre quiénes pasó este episodio? 2. ¿Qué eran Pérez y Gómez? 3. ¿Cuándo vendió Pérez el caballo a Gómez? 4. ¿Cuándo cayó muerto el caballo? 5. ¿Qué hizo Pérez al oír del accidente? 6. Al volver al pueblo, ¿a quién vio? 7. ¿Qué quería hacer Pérez? 8. ¿Qué contestó Gómez? 9. ¿Qué hizo cuando murió el caballo? 10. ¿Cuántos números de rifa hizo él? 11. ¿Quién había sido el ganador? 12. ¿Se enojó éste cuando supo la verdad? 13. ¿Qué hizo Gómez para calmarlo? 14. ¿Cuánto recibió Gutiérrez?

ORAL COMPOSITION — Give a short impromptu speech in Spanish on "Buen negocio," using three sentences on each of the following:

1. What went on between Perez and Gomez. 2. Why Perez had to leave town. 3. What Perez learned when he returned.

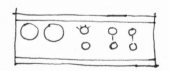

Psicología
aplicada

El doctor Julián Rojas, profesor universitario de psicología, había asistido a una sesión de eruditos. Después de la conferencia del especialista, hubo numerosas preguntas y respuestas. Tan interesante era el tema que la discusión
5 no terminó hasta las dos de la madrugada.[1]

Cuando salió el doctor Rojas se dio cuenta de [a] que para llegar a su casa [b] tenía que caminar por algunas calles mal alumbradas. Además, recordó que había sacado doscientos dólares del banco, los que habría debido dejar en casa.[c]
10 No lo hizo por su mala memoria. En fin [d] llevaba los doscientos dólares en el bolsillo.

Al llegar cerca de su casa, en la esquina de una calle se le acercó un hombre [2] con cara de pocos amigos [3] y de aire amenazador. Al mirarlo, el profesor estaba seguro de
15 hallarse ante un asaltante.

No había tiempo que perder.[4] De pronto, el profesor pensó emplear un poco de psicología aplicada. Dijo al asaltante resueltamente: [5]

— Oiga,[6] compañero, ¿ no podría darme diez centavos
20 para un café ? No he comido desde hace dos días.[7]

El presunto asaltante lanzó una exclamación de asombro.

— ¡ Caramba ! ¡ Y yo que pensaba quitarle [e] el dinero que lleva encima !

El profesor recibió los diez centavos, le dio las gracias
25 y continuó su camino, — con sus doscientos dólares en el bolsillo.

---

[1] la madrugada : la mañana   [2] se le acercó un hombre : un hombre fue hacia él
[3] de pocos amigos : hostil   [4] No había tiempo que perder. : No había mucho tiempo.   [5] resueltamente : con resolución   [6] Oiga : Escuche   [7] desde hace dos días : durante dos días

IDIOMS

a) *darse cuenta de*   to realize
b) *llegar a su casa*   to arrive *or* reach home
c) *en casa*   (at) home
d) *en fin*   in short
e) *pensar* + inf.   to intend + *inf.*

WORD STUDY

I. What English words and meaning do you recognize from *la psicología, el especialista, la discusión, la memoria, continuar?* Find more words of the same kind in the text.

II. Match the meaning of the first line with that of the second: *la conferencia, la respuesta, caminar, la esquina, quitar, el bolsillo* corner, to take away, pocket, answer, lecture, to walk

COMPREHENSION

I. Choose the proper word which makes sense from those between the parentheses:
 1. El profesor universitario asistió a (una iglesia, un teatro, una conferencia).
 2. El tema fue muy (interesante, diferente, seguro) para todos.
 3. El profesor sacó doscientos dólares (del banco, del tiempo, del viaje).
 4. Aquel hombre decidió no quitarle (la esquina, la respuesta, el dinero).
 5. Llegó a su casa con (los compañeros, los temas, los dólares).

II. Idioms — Translate the following sentences using the idiomatic expressions found between parentheses.
 1. Dr. Rojas did not realize that it was so late (*darse cuenta de*).
 2. He arrived at his house very late (*llegar a*).
 3. Professor Rojas did not leave the money at home (*en casa*).
 4. He intended to put money in the bank (*pensar* + *inf.*).
 5. In short, he did not lose his money (*en fin*).

AURAL–ORAL PRACTICE

PREGUNTAS   1. ¿Quién era el doctor Rojas?   2. ¿Qué había hecho?   3. ¿Qué hubo después de la conferencia?   4. ¿A qué hora terminó la discusión?   5. Para llegar a su casa, ¿por dónde tenía que caminar?   6. ¿Cuántos dólares llevaba en el bolsillo?   7. ¿Quién se le acercó?   8. ¿De qué estaba seguro el doctor Rojas?   9. ¿Qué pensó hacer?   10. ¿Qué pidió al hombre?   11. ¿Qué pensaba hacer el asaltante?   12. ¿Cuánto recibió el profesor?   13. ¿Hacia dónde continuó su camino?   14. ¿Qué llevaba en el bolsillo?

ORAL COMPOSITION — Tell the class.

1. What Dr. Rojas did.   2. Why he is arriving home late.
3. Why he did not lose the two hundred dollars.

Como
éstos
hay pocos

Todos sabemos que los locos de un manicomio hacen
cosas curiosas, pero algunas veces llegan al colmo. Cuen-
tan que una vez dos locos habían robado una caja de
cerillas [1] a su loquero.[2] Los dos corren con toda rapidez [3]
a su cuarto para probar una.   5

Los pobres locos sacan una de la caja y la frotan por el
lado contrario, es decir, [a] por el extremo sin fósforo.[4]
Como es natural, la cerilla no se enciende. La desechan [5]
los dos y exclaman con disgusto.

— ¡ Ésta no vale nada ! [6]   10

[1] una caja de cerillas : una caja de fósforos   [2] el loquero : el empleado de un
manicomio   [3] con toda rapidez : con mucha prisa   [4] el fósforo : producto
químico transparente e inflamable   [5] La desechan : La tiran   [6] ¡ Ésta no vale
nada ! : ¡ Ésta no sirve para nada !

De esta manera [b] prueban todas las cerillas, a excepción de una,[1] — la última. Las desechan todas con sumo desprecio,[2] siempre repitiendo:

— ¡ Aun otra que no vale nada !

5 Al llegar a la última cerilla que contenía la caja, se les ocurre [3] frotarla por el lado opuesto. Como la cerilla se enciende, los dos exclaman con extrema alegría:

— Por fin [c] hay una buena. Vamos a guardarla.[d]

Y la vuelven a poner [e] en la caja con gran cuidado, . . . 10 y tiran todas las otras por la ventana.

IDIOMS

a)	*es decir*	that is
b)	*de esta manera*	in this way
c)	*por fin = al fin*	at last, finally
d)	*Vamos a guardarla.*	Let's keep it.
e)	*volver a poner*	to put again

WORD STUDY

I. What English words and meaning do you recognize from *contrario, la manera, exclamar, repetir, contener*? Find more words of the same kind in the text.

II. Match each word on the first line with its corresponding meaning:

la caja, correr, sacar, probar, la alegría, el cuidado
care, joy, box, to run, to take out, to try out

COMPREHENSION

I. Sentence Formation — Complete each sentence in accordance with the text:

1. Esta escena pasó en . . . 2. Dos locos robaron una . . . 3. Los dos corrieron a . . . 4. Probaron casi . . . 5. Sólo una . . . 6. Tiraron todas las cerillas por . . .

---

[1] a excepción de una : menos una   [2] con sumo desprecio : con gran indiferencia
[3] se les ocurre : les ocurre la idea de

II. Dialog — Learn by heart:

— ¿ Ha visitado usted jamás un manicomio?
— Solamente una vez.
— ¿ Encontró su visita interesante?
— No sólo interesante sino muy útil.
— ¿ Por qué útil?
— Porque entonces me di cuenta de cuánta gente está enferma mentalmente.

III. Idioms — Match each idiomatic expression with its English equivalent:

1. Por fin se encendió una.
2. Las probaron todas de esta manera.
3. Los dos volvieron a decir eso.
4. Uno dijo: Vamos a abrir la caja.
5. Esto pasó allí, es decir, en el manicomio.

a. One said: Let's open the box.
b. This happened there, that is, in the insane asylum.
c. At last one lighted.
d. They tried them all out in this way.
e. The two said that again.

AURAL-ORAL PRACTICE

PREGUNTAS 1. ¿ Qué hacen algunos locos en un manicomio? 2. ¿ Qué habían hecho dos locos? 3. ¿ Por qué corren a su cuarto? 4. ¿ Qué hacen con una cerilla? 5. ¿ Por qué no se enciende? 6. ¿ Qué exclaman los dos? 7. ¿ Cuántas cerillas prueban? 8. ¿ Qué repiten siempre? 9. ¿ Qué cerilla se enciende? 10. ¿ Por qué se enciende? 11. ¿ Qué exclaman con extrema alegría? 12. ¿ Qué hacen con la última cerilla? ¿ y con las otras?

ORAL COMPOSITION — Different members of the class will contribute one sentence each to prepare a short composition on: Mi amigo Roberto o Mi amiga Carmen
   Name — age — school — companion — why a favorite — more details.

Una comida barata

Un hombre entró en un restaurante [a] y se sentó a una mesa. Sin mirar la lista de platos [1] y su precio, llamó al camarero y le preguntó:

— ¿Cuánto vale [2] la comida con sopa, carne, frijoles, 5 pan con mantequilla, y postre?

— Cuesta cinco pesos.

— ¿Cuánto vale la comida sin el pan con mantequilla?

— Cuesta lo mismo.

— ¿Y sin los frijoles?

10 — Cuesta cinco pesos.

— Entonces ustedes no cobran por el pan ni por los frijoles.

— No, señor; no los cobramos.

— ¿Y sirven ustedes una buena porción de frijoles y 15 bastante pan?

— Sí, señor; puede usted pedir todos los frijoles y el pan que desee y también mantequilla gratis.

— Pues entonces,[b] — ordenó muy serio el hombre — tráigame [3] un buen plato de frijoles, un pedazo grande 20 de pan con mantequilla, y un vaso de agua fresca.

---

[1] la lista de platos : el menú, la lista de la comida   [2] ¿Cuánto vale ...? : ¿Cuánto es ...?   [3] tráigame : sírvame

IDIOMS

a) *entrar en un restaurante*   to enter a restaurant
b) *pues entonces*   well then

WORD STUDY

I. What English words and meaning do you recognize from *la sopa, costar, servir, la porción, la lista?* Find more words of the same kind in the text.

II. Mention as many words as you know which are classified under the topics:
La comida: carne, pan, . . . Vehículos: el automóvil, el tren, . . . Prendas de vestir: la chaqueta, la falda, . . .

COMPREHENSION

I. Series — Repeat the series in the present and past, with the subject, *usted, yo, ella.*
1. Un hombre entra (entró) en el restaurante.
2. Él se sienta (se sentó) a una mesa.
3. Llama (llamó) al camarero.
4. Quiere (quiso) comer algo bueno.
5. Dice (dijo) al camarero: Tráigame un filete con patatas fritas, pan con mantequilla, un flan y café.
6. Pide (pidió) la cuenta.
7. Paga (pagó) la cuenta.
8. Da (dio) la propina al camarero.
9. Sale (salió) del restaurante.

II. Dialog — Learn by heart:
— Camarero, la lista por favor.
— Aquí está, caballeros.
— Vamos a escoger algo especial. Camarero, un entremés, una sopa y pescado.
— Las truchas están excelentes hoy.
— Pues bien, truchas, fruta y café.
— Muy bien, caballeros. ¿Quieren ustedes ensalada?
— Naturalmente.

III. Dictation — To be read to the class with books closed at normal speed: Later the statements are read to test comprehension:

Un caballero se sienta en un banco del parque. Ve que un niño lo mira. Lo mira con cierta curiosidad. Eso molesta al caballero y le pregunta.
—¿ Por qué me miras así, niño?
— No es nada. Sólo quiero ver la cara que pone al levantarse. Hace un momento que pintaron ese banco.

1. El caballero se sienta en (un banco, una carta, un amigo).
2. Un niño lo (llama, mira, visita).
3. Quiere ver la cara que (dice, manda, pone) al levantarse.

AURAL–ORAL PRACTICE

PREGUNTAS 1. ¿ Cuál es el título del cuento? 2. ¿ Quién entró en el restaurante? 3. ¿ Miró la lista de platos y su precio? 4. ¿ A quién llamó? 5. ¿ Cuánto valía la comida? 6. ¿ Cobraba el restaurante por los frijoles y el pan? 7. ¿ Eran los frijoles y el pan gratis? ¿ y la mantequilla? 8. ¿ Qué es lo que no cobraban? 9. ¿ Qué ordenó el hombre? 10. ¿ Qué ordenó para beber?

ORAL COMPOSITION — Let a pupil ask another:
1. if he wants to eat with him; 2. where a good restaurant is;
3. what he wants to eat; 4. if he wants to eat fish or meat.

Baile de sordomudos[1]

En una institución de sordomudos se daban [2] bailes dos o tres veces al año. Para divertir a los sordomudos y alegrar la fiesta invitaban a los doctores y sus amigos, y a otras personas interesadas en la obra de la institución.

5   El doctor Ochoa llevó a su amigo forastero,[3] el señor Velasco, a uno de esos bailes de sordomudos. Al señor Velasco le gustaba mucho bailar. Por eso [a] le preguntó al doctor Ochoa:

— ¿ Qué hago para invitar a una sordomuda ?

10   — La cosa es muy sencilla — respondió el doctor — Usted se dirige a ella, sonríe y le hace una inclinación de cabeza.

Al ver a una linda señorita, el invitado puso en práctica el consejo de su buen amigo el doctor. Ella comprendió y se 15 acercó a [b] él para bailar. Fue la señorita su pareja durante tres bailes seguidos.[4] Ya se disponía el señor Velasco a invitarla [c] por cuarta vez, cuando se acercó a ella un caballero con aire impaciente y le dijo:

— Pero, chica, ¿ cuándo vas a bailar conmigo ? Hace 20 una hora que te espero.[5]

— Perdón, Basilio, la verdad es que no sé cómo desprenderme [6] de este pobre sordomudo.

---

[1] el sordomudo : persona que no oye ni habla   [2] se daban : se celebraban   [3] el forastero : persona de otro lugar o país   [4] Fue la señorita su pareja durante tres bailes seguidos. : Bailó la señorita tres bailes con él.   [5] Hace una hora que te espero. : Te he esperado una hora.   [6] desprenderme : separarme

IDIOMS

a) *por eso*	for that reason
b) *acercarse a*	to approach
c) *disponerse a* + inf.	to get ready + *inf.*

WORD STUDY

I. What English words and meaning do you recognize from *invitar, responder, el invitado, impaciente, el perdón*? Find more words of the same kind in the text.

II. Match the synonyms of the words in the first line with those of the second:

el señor, sencillo –a, responder, divertir, lindo –a, comprender
entretener, entender, bonito –a, fácil, contestar, el caballero

COMPREHENSION

I. Complete each sentence according to the text:
1. Se dio una vez un baile en . . . 2. Uno de los doctores llevó . . . 3. Al señor Velasco le gustó mucho . . . aquella noche. 4. Él puso en práctica . . . 5. El caballero impaciente preguntó cuándo ella . . .

II. Dialog — Learn by heart:
— Señor Velasco, le presento a la señorita Medina.
— Tanto gusto, señorita.
— Mucho gusto en conocerle.
— ¿ Me permite este baile ?
— Encantada.

AURAL–ORAL PRACTICE

PREGUNTAS 1. ¿ Dónde se daban bailes ? 2. ¿ Cuántas veces al año se daban bailes ? 3. ¿ A quiénes invitaban a esos bailes ? 4. ¿ A quién invitó el doctor Ochoa ? 5. ¿ Le gustaba bailar al señor Velasco ? 6. ¿ Qué le preguntó Velasco a su amigo ? 7. ¿ Qué debe hacer el señor Velasco ? 8. ¿ Puso en práctica el consejo de su amigo el doctor ? 9. ¿ Cuántas veces bailó con la señorita ? 10. ¿ Quién se acercó a ella ? 11. ¿ Qué le dijo ? 12. ¿ Qué respondió la señorita ?

DRAMATIZATION — Act out this scene before the class.

El
diamante
robado

Uno de los muchos episodios en la vida activa del rey Alfonso Décimo, llamado el Sabio, muestra el noble carácter de aquel buen rey español. No sólo fue este monarca muy sabio, sino también [a] muy justiciero.[1]

5 Cierto día, el rey, acompañado de varios cortesanos, entró en la tienda de un joyero [2] para hacer algunas compras. Después de examinar y comprar algunas joyas,[3] salieron el rey y sus cortesanos. Poco después,[b] corrió fuera de la tienda el dueño para decirle al rey:

10 — Su majestad, alguien me ha robado un diamante de gran valor. La piedra preciosa representa una fortuna.

El monarca mandó entrar en [c] la tienda a todos sus cortesanos. Luego hizo traer al dueño [d] un recipiente lleno de agua, y habló así a sus cortesanos.

15 — El honor de nuestra patria está en juego.[4] El dueño de esta tienda afirma que un diamante precioso ha desaparecido durante nuestra presencia aquí. Cada uno de ustedes tiene que poner la mano cerrada en este recipiente lleno de agua, y luego sacarla abierta. Yo voy a ser el

20 primero en hacerlo.

Todos los cortesanos siguieron el ejemplo del noble monarca. Poco después, al vaciar [5] el recipiente, apareció el diamante.

---

[1] justiciero : justo   [2] joyero : una persona que vende joyas   [3] joyas : piedras preciosas   [4] en juego : en peligro   [5] al vaciar : al sacar lo que contenía

IDIOMS

a) *no sólo . . . sino también*   not only . . . but also
b) *poco después*   shortly after
c) *mandar entrar en*   to order to enter
d) *hizo traer al dueño*   had the owner bring

WORD STUDY

I. What English words and meaning do you recognize from *el episodio, la majestad, el monarca, afirmar, acompañar*? Find more words of the same kind in the text.

II. Match the opposites of the words of the first line with those of the second:

la vida, entrar, comprar, después, cerrado, primero
vender, antes, abierto, último, salir, la muerte

COMPREHENSION

I. Complete the following statements with the proper words taken from the second column:

1. Un día entró   a. de la tienda.
2. Alfonso Décimo fue   b. a todos en la tienda.
3. El rey Alfonso el Sabio   c. llevó una vida activa.
4. Los cortesanos salieron   d. el ejemplo del monarca.
5. El monarca mandó entrar   e. un monarca muy sabio.
6. Todos los cortesanos siguieron   f. en la tienda de un joyero.

II. Series — Recite the series in the present and past with the subjects *yo, usted* and *ellos*.

1. Entramos (entramos) en la tienda del joyero.
2. Hacemos (hicimos) algunas compras.
3. No robamos (robamos) el diamante.
4. Salimos (salimos) de la tienda.
5. Volvemos (volvimos) a entrar en la tienda.
6. Seguimos (seguimos) el ejemplo del monarca.
7. Encontramos (encontramos) el diamante.

III. Idioms — Select the proper idiom to say correctly the following sentences entirely in Spanish:

tener que + *inf.*, poco después, mandar + *inf.*, no sólo . . . sino, hacer + *inf.*

1. Todos *had to enter* en la tienda. 2. El monarca *ordered them to say* algo. 3. *Shortly after*, el joyero llamó al rey. 4. El dueño *had brought* un recipiente con agua. 5. El joyero *not only* vendió un diamante *but* también otras cosas.

AURAL–ORAL PRACTICE

PREGUNTAS 1. ¿De quién se habla en este cuento? 2. ¿Qué clase de carácter tenía Alfonso Décimo? 3. ¿Dónde entraron el rey y sus cortesanos? 4. ¿Para qué entró el monarca en la tienda? 5. Al salir el dueño, ¿qué le dijo al rey? 6. ¿Qué representaba el diamante para el dueño? 7. ¿En dónde entraron otra vez el rey y sus cortesanos? 8. ¿Qué hizo traer el rey al dueño? 9. ¿Cómo tenía que poner la mano en el recipiente cada cortesano? 10. ¿Cómo tenía que sacarla? 11. ¿Quién fue el primero en hacerlo? 12. ¿Quiénes siguieron el ejemplo del monarca? 13. Al vaciar el recipiente, ¿qué apareció?

ORAL COMPOSITION — Have a pupil ask another:
1. What the king did. 2. What he bought. 3. Who sold him the jewels. 4. Who were with him. 5. Why they entered the store again. 6. How they found the diamond. Call for answers to the above.

¡No se preocupe usted!

PERSONAJES: *Especialista de enfermedades nerviosas*
El señor García

SITIO: Consultorio [1] de un médico

— Señor García, usted se preocupa demasiado por [2] los problemas económicos.

— Es cosa natural en nuestros días.

— El preocuparse es un grave error. Es necesario vivir sólo en el presente, amigo mío. No piense usted en el pasado ni en el futuro.

[1] el consultorio : la oficina   [2] por : acerca de

— Pero, doctor, . . .

— Mire, voy a darle un ejemplo. Hace más de un mes,[1] vino a mi consultorio cierto señor López. El pobre hombre no podía dormir hacía varias semanas a causa de [a] las deudas que había contraído con su sastre.[2]

— Y luego, ¿ qué . . . ?

— Tuve éxito [b] en persuadirlo a no pensar en ello. Le dije que debía vivir como si no debiera [3] un centavo a nadie.

— ¿ Y cuál fue el resultado de su consejo ?

— Ahora duerme como un lirón [4] y hasta se ha puesto gordo.

— Lo sé, doctor — dice suspirando el paciente. — Yo soy su sastre.

IDIOMS

| a) *a causa de* | because of, on account of |
| b) *tener éxito* | to be successful |

WORD STUDY

What English words and meaning do you recognize from *nervioso, el problema, necesario, el resultado, el paciente*? Find more words of the same kind in the text.

COMPREHENSION

I. Are these statements true or false ? If they are false, make the necessary corrections.

1. El médico se preocupa demasiado.
2. El preocuparse es un grave error.
3. Es necesario vivir sólo en el pasado.
4. El señor López fue al consultorio del médico.
5. El médico no persuadió al señor García.
6. El señor López duerme bien y se puso gordo.

---

[1] Hace más de un mes : Más de un mes ha pasado ya desde que   [2] de las deudas que había contraído con su sastre : del dinero que debía a su sastre   [3] como si no debiera : como una persona que no debía   [4] duerme como un lirón : duerme muy bien

II. Dialog — Learn by heart:

CON EL MÉDICO

— ¿ Qué le pasa ?

— Estoy muy enfermo. Tengo fiebre y me duele la cabeza.

— Usted debe guardar cama unos días.

— ¿ Debo ir al hospital ? ¿ Necesito una enfermera ?

— No es necesario. Puede usted curarse en casa.

— Muchas gracias, doctor.

III. Idioms — Recite the following sentences using the proper idioms taken from the second column:

1. *At last* vio al médico.
2. El médico no lo curó *on account of* eso.
3. *He decided to say* que era sastre.
4. *Everybody* fue a ver al médico.
5. El sastre *was successful* en recibir el dinero.

   a. decidirse a + *inf.*
   b. todo el mundo
   c. tener éxito
   d. por fin
   e. a causa de

AURAL–ORAL PRACTICE

PREGUNTAS 1. ¿ Quiénes son los personajes de este cuento ? 2. ¿ Quién se preocupa demasiado ? 3. ¿ Por qué se preocupa el señor García ? 4. ¿ Es el preocuparse un grave error ? 5. ¿ Es una buena idea vivir en el presente ? 6. ¿ Qué había contraído el otro paciente ? 7. ¿ Con quién había contraído las deudas ? 8. ¿ Qué debía hacer según el médico ? 9. ¿ Cuál fue el resultado ? 10. ¿ Quién era su sastre ? 11. ¿ Qué título tiene este cuento ?

ORAL COMPOSITION — Imitate the following construction by adding other parts of the body:

Me duele la mano, el brazo,... Me duelen los ojos, los pies,...

Caperucita
roja moderna

Caminaba la dulce niña por el bosque. En sus delicados brazos llevaba una canasta llena de sabrosa [1] fruta. En lo más oscuro [2] del bosque apareció de pronto un lobo feroz,[3] que disimulando su ferocidad [4] le preguntó:

5 — ¿ A dónde vas, hermosa niña ?

— Voy a la casa donde vive mi anciana abuela para entregarle esta canasta de rica fruta.

— ¿ Y dónde vive tu anciana abuela ?

— Vive en una casa de techo rojo en medio del bosque.

10 Entonces la niña inocente enseñó al lobo el camino para llegar a la casa de techo rojo.

— Gracias . . . muchas gracias . . . — respondió el lobo.

Se separaron y la niña siguió su camino, deteniéndose aquí para oír el canto de los pájaros, y allí para recoger 15 algunas margaritas. Por fin llegó la niña a la casa de techo rojo. Entró y vio que en la cama estaba alguien acostado [5] con una camisa larga y gorra de dormir.[6] De pronto vio que no era su abuela sino el lobo del bosque.

Sin perder tiempo sacó de la canasta una pistola auto-20 mática [7] y disparando las seis balas, mató al lobo.

WORD STUDY

What English words and meanings do you recognize from *moderno, la fruta, inocente, responder, automático* ? Find more words of the same kind in the text.

[1] sabrosa : deliciosa   [2] En lo más oscuro : En la parte más negra   [3] feroz : cruel [4] la ferocidad : la crueldad   [5] acostado : echado   [6] gorra de dormir : gorra de noche   [7] una pistola automática : un revólver moderno

COMPREHENSION

I. Put the following sentences in logical order:
1. De pronto apareció un lobo feroz.
2. Cuando la niña llegó vio al lobo en la cama.
3. Sacó su pistola y mató al lobo.
4. Llevaba una canasta de fruta a su abuela.
5. Una niña caminaba por el bosque.
6. El animal quería saber dónde vivía la abuela de la niña.

II. Series — Recite the following sentences in the present and past with *yo, nosotros* and *ellos* as subjects:
1. El señor Olmos camina (caminó) por el bosque.
2. Busca (buscó) a su amigo por allí.
3. De pronto ve (vio) un lobo.
4. El hombre saca (sacó) su pistola.
5. Mata (mató) al lobo.
6. Sigue (siguió) su camino.
7. Por fin encuentra (encontró) al amigo.

III. Verbs — Recite the following statements entirely in Spanish:
1. ¿ *Doesn't* la niña *walk* por el bosque ? 2. ¿ Quién *lives* en aquella casa ? 3. La niña *wanted to visit* a su abuela. 4. La abuela *could not see* a la niña. 5. Ella *did not find* a la abuela en su casa.

AURAL–ORAL PRACTICE

PREGUNTAS 1. ¿ Quién caminaba por el bosque ? 2. ¿ Qué llevaba en los brazos ? 3. ¿ Quién apareció de pronto ? 4. ¿ Qué preguntó a la niña ? 5. ¿ Para qué iba a la casa de su abuela ? 6. ¿ Dónde vive su abuela ? 7. ¿ Qué enseñó la niña al lobo ? 8. ¿ Qué le contestó el lobo ? 9. ¿ Dónde llegó la niña por fin ? 10. ¿ Qué vio en la cama ? 11. ¿ Quién estaba en la cama ? 12. ¿ Qué sacó la niña de la canasta ? 13. ¿ Cuántas balas disparó ? 14. ¿ A quién mató ? 15. ¿ Es ésta una versión moderna de un cuento viejo ?

ORAL COMPOSITION — Recite a short connected paragraph based on the following questions:
1. Where was the child going ? 2. Why was she going there ? 3. Who was there ? 4. Where did she kill the wolf ?

Era su costumbre

Era un hombre bien vestido que no tenía dinero. Como tenía una cita importante, necesitaba una afeitada y un corte de pelo. Al ver a un niño en la calle, lo tomó por la mano, y lo llevó a una barbería lujosa.

— ¿ Corte de pelo ? ¿ Afeitada ? — preguntó el barbero. 5
— ¡ Todo ! — contestó el hombre.

Mientras el señor se hace cortar el pelo y afeitar, llama a la manicura para hacerse arreglar las uñas. Pide masaje facial y loción para los cabellos.[1] Al fin se levanta del sillón [2] y va hacia la caja. Luego se vuelve al barbero y 10 le dice:

[1] los cabellos : el pelo [2] del sillón : de la silla grande y cómoda

51

— Tengo un encargo aquí cerca.[1] Hágame el favor de
cortar [a] el pelo al niño. Vuelvo en seguida.

El niño sube al sillón y se sienta. El barbero le hace
un corte de pelo de última moda. Pasa media hora y el
5 señor no vuelve. Pasa una hora y el barbero pregunta al
niño:

— Oye, niño, ¿ dónde ha ido tu papá ? Tarda mucho
en volver. [b]

— ¿ Mi papá, dice usted ? Aquel hombre no es mi papá.
10 Es un hombre que al verme me dijo:

— ¡ Ven conmigo ! ¡ Vamos a cortarnos el pelo gratis !

IDIOMS

a) *Hágame el favor de cortar* . . .   Please cut . . .
b) *tardar mucho en volver*   to be long in coming back

WORD STUDY

I. What English words and meaning do you recognize from *el
barbero, el título, la hora, el masaje, la loción*? Find more words
of the same kind in the text.

II. Word families — What do these words mean ? If you do
not know, look them up in a Spanish-English dictionary.
  1. necesitar, necesario, la necesidad.
  2. importante, importar, la importancia.
  3. la pregunta, preguntar, preguntón, –ona.

COMPREHENSION

I. Complete the following parts of sentences in accordance
with the text:
  1. Un hombre bien vestido no . . . 2. Aquel día necesitó . . .
  3. Dijo al barbero que . . . 4. El barbero dio al niño un
  corte . . . 5. Pasó media hora y el hombre . . . 6. El niño
  dijo al barbero que aquel hombre . . .

---

[1] Tengo un encargo aquí cerca. : Tengo que hacer algo cerca de aquí.

II. Dialog — Learn by heart:

— ¿ Qué va a ser?
— Un corte de pelo.
— ¿ Corto, largo o regular?
— No demasiado corto, sólo corto por detrás.
— ¿ Está bien así?
— Sí, está muy bien. ¿ Cuánto le debo?
— Un dólar cincuenta.

III. Idioms — Recite complete statements from the scrambled words including the idiom between parentheses.
1. (*hacerse* + *inf.*) pelo, una, hombre, se, barbería, el, hace, el, cortar, en.
2. (*al fin*) se, sillón, y, hacia, al, va, la, levanta, del, fin, caja.
3. (*hacer el favor*) cortar, favor, el, hágame, este, el, a, niño, pelo, de.
4. (*tardar mucho en*) mucho, en, hombre, a, barbería, el, volver, la, tarda.
5. (*al* + *inf.*) me, por, y, al, aquí, mano, tomó, la, trajo, verme, me.

AURAL–ORAL PRACTICE

PREGUNTAS 1. ¿ Cuál es el título de este cuento? 2. ¿ Cómo era el hombre? 3. ¿ Por qué necesitaba una afeitada y un corte de pelo? 4. ¿ A quién vio en la calle? 5. ¿ A dónde fueron los dos? 6. ¿ Qué dijo el hombre al barbero? 7. ¿ Para qué llamó a la manicura? 8. ¿ Qué más pide al barbero? 9. Al levantarse del sillón, ¿ a dónde va? 10. ¿ Qué debe hacer el barbero al niño? 11. ¿ Qué clase de corte de pelo le da al niño? 12. ¿ Quién no volvió después de una hora? 13. ¿ Era el hombre el padre del niño? 14. ¿ Qué dijo el hombre al ver al niño en la calle?

Una
ganga a
ese precio

Cierto día, Benito Pérez Galdós, célebre novelista español entra en una librería de Madrid. Quiere saber el precio de una novela expuesta en el escaparate.

— Un duro — le dice el dueño de la tienda.

5 — Soy periodista — dice don Benito. — ¿ Tengo por ello derecho a una reducción ?

— Sí, señor.

— Pertenezco, además a la Sociedad de Autores. Eso me procura siempre un descuento sobre el precio.

10 — Es cosa muy natural.

— Escribo también en varias revistas. Tengo entendido que [a] en estos casos acostumbran ustedes a hacer una rebaja.[1]

— Es verdad, señor.

15 — Quiero también informarle que poseo acciones de esta casa editorial.[2]

— Muy bien.

---

[1] una rebaja : un descuento   [2] la casa editorial : la casa que publica libros

— Me llamo Pérez Galdós — dice finalmente el novelista. — ¿ No le parece que mi nombre merece un favor
especial ?

— ¡ Por supuesto !

— Bueno. Dígame usted ahora, cuánto le debo por 5
este volumen.[1]

— Usted no me debe nada, don Benito. Yo le debo a
usted tres pesetas. Llévese usted el volumen y gracias mil [b]
por su visita.

IDIOMS

a) *Tengo entendido que . . .* I understand that . . .
b) *gracias mil = muchas gracias* thank you very much

WORD STUDY

I. What English words and meaning do you recognize from
célebre, la sociedad, el descuento, informar, la visita? Find
more words of the same kind in the text.

II. Match the meaning of the first line with that of the second:
la librería, la tienda, la revista, la acción, el nombre, célebre
famous, name, bookstore, store, magazine, share

COMPREHENSION

I. Choose the proper word to complete the following statements:
1. Galdós (visitó, supo, dijo) una librería de Madrid.
2. Quiso saber (el cuarto, el precio, el grito) de la novela.
3. Escribía para varias (revistas, notas, maletas).
4. El dueño de la librería le (ganó, hizo, sacó) un buen descuento.
5. Dijo al dueño: — ¿ Cuánto le (debo, hago, respondo) ?
6. El dueño le contesta: — Usted no me debe (menos,
nada, después).

---

[1] el volumen : el libro

II. Dialog — Learn by heart:

EN UNA LIBRERÍA

— ¿ En qué puedo servirle, señor ?
— Necesito un buen diccionario español.
— ¿ De algún autor especial ?
— El autor no me interesa.
— Bien, vendo muchos de este autor.
— ¿ Cuánto vale ?
— Tres duros. ¿ Se lo envuelvo ?
— Sí, si me hace el favor. Aquí están los tres duros.

III. Idioms — Recite the following sentences, supplying the equivalent of the italicized English words:
1. *I understand* que Pérez Galdós fue un célebre novelista.
2. *Thank you very much* por el descuento que me hizo. 3. *It is true* que escribe para varias revistas. 4. *Of course* que sus libros son interesantes. 5. Pérez Galdós *entered* una librería de Madrid.

AURAL–ORAL PRACTICE

PREGUNTAS 1. ¿ Quién es Benito Pérez Galdós ? 2. ¿ En dónde entra cierto día ? 3. ¿ Qué quiere saber ? 4. ¿ Dónde está expuesta la novela ? 5. ¿ Cuál es el precio de la novela ? 6. ¿ Quién dice cuánto vale la novela ? 7. Como periodista, ¿ tiene don Benito derecho a una reducción ? 8. Como miembro de la Sociedad de Autores, ¿ recibe un descuento ? 9. ¿ Hay otros descuentos para don Benito ? 10. ¿ Cuánto paga el señor Pérez Galdós por el volumen ? 11. ¿ Quién debe tres pesetas a quién ? 12. ¿ Es la novela a ese precio una ganga ?

DRAMATIZATION — Act the scene of the anecdote before the class.

¿Quién lo escribió?

En cierta ocasión un maestro rural pregunta a uno de sus discípulos: [1]

— ¿Quién escribió el Quijote?

— Yo no lo escribí, señor profesor.

Indignado [2] de tal respuesta, el profesor va a ver [a] al padre del muchacho y le dice:

— He preguntado a su hijo quién había escrito el Quijote y me ha contestado que él no lo había escrito.

— Señor profesor, mi hijo no miente. Si él le ha dicho que no lo ha escrito, puede usted estar seguro de que él no lo ha escrito.

El maestro, horrorizado [3] de tan crasa ignorancia, visita a un colega [4] y le cuenta el caso. El colega le pregunta:

— ¿Y es verdad o mentira?

El maestro, ya fuera de sí, [5] va a visitar [a] al inspector general de enseñanza y le pone al tanto de [b] lo ocurrido. El inspector trata de tranquilizarle.

— Si es verdad que el muchacho no lo ha escrito, ¿por qué le da usted tanta importancia al asunto?

Ya loco el maestro, logra ser recibido por el Ministro de Instrucción y le cuenta todo lo que ha ocurrido. El ministro sonriente le dice:

— Vamos al grano. [c] Investigue usted quién lo ha escrito, y le aseguro que lo castigaremos como merece.

¡ El maestro cae muerto !

---

[1] el discípulo : el alumno   [2] indignado : irritado   [3] horrorizado : escandalizado
[4] un colega : un camarada, un compañero   [5] fuera de sí : loco

57

IDIOMS

a) *ir a ver*	to go and see
b) *poner al tanto de*	to inform
c) *Vamos al grano.*	Let's come to the point.

WORD STUDY

I. What English words and meaning do you recognize from *la ignorancia, visitar, el colega, el ministro, investigar?* Find more words of the same kind in the text.

II. List the different names of:

MODEL — tres miembros de la familia: Son miembros de la familia el padre, la madre y el hijo.

1. tres días de la semana 2. tres verbos de acción 3. tres personas de la escuela 4. tres nombres de colores 5. tres nombres de frutas.

COMPREHENSION

I. Series — Repeat the series in the present, past, and future with the subjects *nosotros* and *ellos:*
1. El profesor pregunta a la clase.
2. Quiere saber algo importante.
3. No recibe la respuesta.
4. Visita al ministro.
5. Él no le da satisfacción.

II. Complete the following sentences in accordance with the text:

1. El maestro ha preguntado a uno . . . 2. Ha preguntado a la clase: ¿Quién . . . ? 3. El padre dijo al profesor que su hijo . . . 4. El maestro fue a visitar a . . . 5. Él cuenta lo que ha ocurrido a . . .

III. Verbs — Read the following sentences completely in Spanish:

1. The teacher asked the pupil.	El profesor . . . al alumno.
2. I did not write it.	Yo no lo . . .
3. The father will say that.	El padre . . . eso.
4. The pupil will visit the school.	El alumno . . . la escuela.
5. I am going to tell the truth.	Yo . . . la verdad.
6. The teacher drops dead.	El profesor . . . muerto.

AURAL-ORAL PRACTICE

PREGUNTAS 1. ¿ Quién pregunta al discípulo ? 2. ¿ Qué le pregunta ? 3. ¿ Qué contesta el discípulo ? 4. ¿ A dónde va el profesor ? 5. ¿ Miente o no el muchacho ? 6. ¿ A quién va a ver luego el profesor ? 7. ¿ Qué satisfacción le da su colega ? 8. ¿ Qué trata de hacer el inspector ? 9. ¿ Merece el asunto tanta importancia ? 10. ¿ Qué cuenta el profesor al ministro ? 11. ¿ Qué debía investigar el profesor ? 12. ¿ Qué le ocurre al profesor ?

ORAL COMPOSITION — Listen to your teacher read the passage followed by three questions. Answer the questions in English.

EL QUIJOTE

El Quijote o *Don Quijote de la Mancha* fue escrito por Miguel de Cervantes. Es la obra maestra de la literatura española. Los dos personajes principales son Don Quijote y Sancho Panza.

1. ¿ Por quién fue escrito *El Quijote* ? 2. ¿ Qué es *El Quijote* ? 3. ¿ Quiénes son los dos personajes principales ?

La maleta

El tren acaba de salir [a] de la estación de Madrid. Un caballero se para delante de un compartimiento del vagón.[1] Entra y nota que sólo queda un asiento disponible,[2] pero ocupado por una maleta al lado de la cual está sentado un 5 señor.

— Haga el favor de quitar [b] su maleta. Quiero sentarme — le ruega el nuevo pasajero.

— Yo no la quito — contesta el otro.

— ¿ Por qué no la quita usted ?

[1] el compartimiento del vagón : una de las divisiones del coche de ferrocarril
[2] disponible : libre, desocupado

60

— Porque no quiero.

El pasajero insiste inútilmente.[1]   Al fin llama al revisor.[2]

— Tenga la bondad de quitar [b] su maleta — ordena el
revisor.   5

— No quiero.   ¡ Quítela usted ! — repite el pasajero
que está sentado.

La discusión dura media hora.   Al fin el revisor exclama :

— Pero, ¿ por qué no quiere usted quitar la maleta ?

— Porque no es mía.   10

— ¿ Por qué no lo dijo antes ?

— Porque nadie me preguntó.

— ¿ De quién es, pues ?

— Debe de ser del señor [c] dormido que está sentado cerca
de la ventanilla.   15

Todos se vuelven hacia el señor señalado.

— Y usted, ¿ por qué no me lo dijo antes ?

— Porque a mí, nadie me preguntó si la maleta era mía.

IDIOMS

a) *acabar de salir*   to have just left
b) *Haga el favor de quitar* . . . Please remove . . .
   Tenga la bondad de quitar . . .
c) *Debe de ser del señor* . . .   It must be . . . *or* It is probably
                                    the gentleman's.

WORD STUDY

I. What English words and meaning do you recognize from *la
estación, entrar, insistir, exclamar, repetir*? Find more words
of the same kind in the text.

II. Match the opposites of the first line with those of the second :
    salir, delante de, cerca de, antes, sentarse, nadie
    lejos de, levantarse, entrar, alguien, después, detrás de

---

[1] inútilmente : en vano   [2] al revisor : al que recibe los billetes de los viajeros

COMPREHENSION

I. Put the following sentences in the logical order according to the text:
   1. Sólo queda un asiento disponible.
   2. La discusión dura media hora.
   3. Un caballero entra en un compartimiento.
   4. Otro viajero no quita la maleta del asiento.
   5. El caballero quiere sentarse.
   6. Nadie preguntó al dueño de la maleta si era suya.

II. Dialog — Learn by heart:

EN LA ESTACIÓN

— ¿ Dónde se compran los billetes ?
— Allí a la derecha donde dice *Despacho de billetes*.
— Déme dos billetes de primera clase para Buenos Aires.
— ¿ De ida y vuelta ?
— No señor, sencillos. ¿ Cuánto es ?
— Cincuenta pesos.

AURAL–ORAL PRACTICE

PREGUNTAS 1. ¿ De dónde sale el tren ? 2. ¿ Dónde se para el caballero ? 3. ¿ Cuántos asientos quedan disponibles ? 4. ¿ Qué hay sobre el asiento ? 5. ¿ Quién está sentado al lado ? 6. ¿ Qué dice el nuevo pasajero al señor ? 7. ¿ Qué contesta el otro ? 8. ¿ A quién llama el pasajero ? 9 ¿ Qué repite el pasajero que está sentado ? 10. ¿ Por qué no quita la maleta ? 11. ¿ De quién es la maleta ? 12. ¿ Por qué no quitó su maleta ?

Dramatize this scene before the class.

No había
pensado
en eso

Muchas tragedias hay en la vida. No pocas de ellas son el resultado de nuestra propia culpa. Pero éste no fue el caso de Juan Pérez cuyo propósito era vivir una vida larga y contenta. Para conseguir su propósito hizo toda clase de sacrificios. Sin embargo, la historia de Juan Pérez es [5] de veras [a] triste.

Juan Pérez llevaba una vida [b] muy arreglada para poder llegar a la venerable edad de cien años. Era una vida modelo.

El hombre se levantaba y se acostaba temprano. Se [10] limpiaba los dientes después de cada comida, y antes de acostarse. Tomaba un baño diario con agua caliente y

fría. El médico le daba un examen físico dos veces al
año. Cuando llovía siempre usaba chanclos,[1] paraguas e
impermeable.[2] Pérez dormía por lo menos [c] ocho horas al
día con las ventanas abiertas. Seguía fielmente una dieta [3]
de mucha fruta y verduras. Nunca fumaba, ni bebía licores,
ni perdía la calma. Además, hacía ejercicios físicos en su
casa y al aire libre.[d]

Cierto día los amigos de Juan Pérez leyeron en los
periódicos la triste noticia de su muerte. Los funerales [4]
tendrían lugar [e] el siguiente lunes a las diez de la mañana.

A su muerte lo sobrevivieron [5] numerosos especialistas,
cinco casas de salud,[6] varias tiendas de víveres [7] y docenas
de antisépticos.

El pobre hombre había olvidado por completo las catás-
trofes de aviones en el aire, y los accidentes de trenes y
automóviles en los cruces ferroviarios.[8]

IDIOMS

a) *de veras*	really, truly
b) *llevar una vida*	to lead a life
c) *por lo menos*	at least
d) *al aire libre*	in the open, outdoors
e) *tener lugar*	to take place

WORD STUDY

I. What English words and meaning do you recognize from *la
tragedia, el sacrificio, el examen, el especialista, el automóvil*?
Find more words of the same kind in the text.

[1] chanclos : zapatos de goma [2] el impermeable : el abrigo contra la lluvia
[3] una dieta : un sistema de comer [4] los funerales : el funeral [5] lo sobrevivieron :
vivieron más tiempo que él [6] casas de salud : casas donde viven los enfermos,
sanatorios [7] tiendas de víveres : tiendas donde se venden cosas para comer
[8] en los cruces ferroviarios : en los lugares donde se cruzan los ferrocarriles

II. Word family — You know the meaning of the first word in each group. Use a Spanish-English dictionary to get the meaning of the other words.

1. beber: el bebedor, la bebida, bebible (potable)
2. el examen: examinar, el examinando, el examinador
3. la fruta: frutal, la frutería, el frutero, frutar
4. llover: lloviznar, la lluvia, lluvioso, -a

COMPREHENSION

I. Series — Repeat the series in the past and future with the subjects *yo, nosotros* and *ellos:*

1. Juan Pérez quiere vivir una vida larga.
2. Aquel hombre lleva una vida arreglada.
3. El hombre se levanta muy temprano.
4. Él toma un baño diario.
5. Pérez hace ejercicio al aire libre.
6. Alguien lee la noticia de su muerte.
7. El pobre hombre olvida por completo los accidentes.

II. Idioms — Recite the Spanish equivalent of the italicized idioms in English:

1. Sus amigos leyeron *really* la noticia de su muerte. 2. Siempre hacía ejercicio *in the open*. 3. El pobre hombre vivió *at least* cincuenta años. 4. Juan Pérez *led* una vida muy arreglada. 5. Los funerales *took place* donde vivía.

III. Oral Dictation — The teacher will read the passage at normal speed, then have the pupils answer the questions in English in complete sentences.

Samuel Morse, 1791–1872, era un célebre pintor norteamericano antes de descubrir la telegrafía. En cierta ocasión pintó una escena que mostraba a un hombre en los últimos momentos de agonía. Al pedirle opinión a un amigo médico, éste no dijo nada. Después de observar el cuadro un buen rato, dijo simplemente:

— Malaria.

1. ¿Quién era Samuel Morse? 2. ¿Qué descubrió después de ser pintor? 3. ¿Qué pintó en cierta ocasión? 4. ¿Qué representaba el cuadro? 5. Después de observar el cuadro, ¿qué dijo el médico?

AURAL–ORAL PRACTICE

PREGUNTAS 1. ¿Hay tragedias en la vida de una persona? 2. ¿Cuál era el propósito de Juan Pérez? 3. Para conseguirlo, ¿qué hacía? 4. ¿Qué clase de vida llevaba? 5. ¿Por qué hacía tantos sacrificios? 6. ¿Cuándo se levantaba? ¿se acostaba? 7. ¿Cuándo se limpiaba los dientes? 8. ¿Qué le hacía el médico? 9. ¿Cuántas horas dormía Juan? 10. ¿Qué usaba cuando llovía? 11. ¿Qué comía? 12. ¿Dónde hacía ejercicios físicos? 13. ¿Qué leyeron los amigos de Pérez cierto día? 14. ¿Qué y quiénes lo sobrevivieron? 15. ¿Qué había olvidado por completo el señor Pérez?

ORAL COMPOSITION — State in Spanish three connected sentences:

1. a. Do you like to lead an orderly life? b. What do you generally do? c. How many years could you live?
2. a. Do you like to exercise? b. What is your favorite exercise? c. Why do you exercise regularly?

Hizo toda clase de

1) Muchas tragedia hay en la vida.
2) Propósito era vivir una vida larga y contenta.
3) Hizo toda clase de sacrificios.
4) Llevaba una vida muy arreglada.
5) Hacía tantos sacrificios para conseguir su propósito.
6) Se levantaba y se acostaba temprano.
7) Se limpiaba los dientes después de cada comida y antes de acostarse.
8) El médico le daba un examen físico dos veces al año.
9) Dormía por lo menos ocho horas al día.

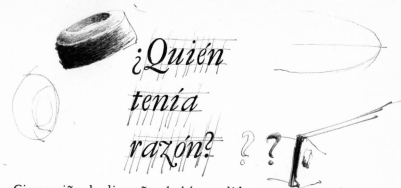

¿Quién tenía razón?

Cierta niña de diez años había perdido su perrito en la mudanza [1] de la familia. Como lo quería mucho, la pérdida del animal le causó no poca pena.

A los pocos días,[a] andaba la niña por una calle cuando creyó ver a su perrito sentado en un coche al lado de una dama muy bien vestida.

Llamó la niña al perrito por su nombre y el animal saltó del coche y se fue con ella. La señora paró el coche y se obstinó en reclamarlo.[b] La dama insistió en declarar que el perrito era suyo y aseguró que ella lo había criado desde que nació.

— Dígame, señora — le preguntó la niña — ¿ su perrito sabe sentarse [c] y tender una de las patas [2] delanteras como pidiendo limosna ?

— ¡ Claro que [d] sabe hacer eso !

— ¿ Y sabe también saltar por un aro de barril ?

— También sabe hacer eso.

— ¿ Y sabe bailar en dos patas ?

— También baila en dos patas graciosamente.[3]

— ¿ Y sabe echarse al suelo y hacer el muerto ? [4]

— Claro que sí.

— Bueno, pues,[5] señora — concluyó la niña con una sonrisa en los labios — este perrito no sabe hacer ninguna de esas cosas.

---

[1] la mudanza : el cambio de una casa a otra   [2] las patas : las piernas del animal
[3] graciosamente : con gracia   [4] hacer el muerto : hacer creer que está muerto
[5] bueno, pues : en ese caso

IDIOMS

a) *a los pocos días*   after a few days
b) *obstinarse en reclamarlo*   to be obstinate in claiming it
c) *saber sentarse*   to know how to sit
d) *¡ claro (que)! = ¡ por supuesto!*   of course !

WORD STUDY

I. What English words and meaning do you recognize from *causar, la dama, concluir, declarar, el barril*? Find more words of the same kind in the text.

II. Match the meaning of the first line with those of the second: *la prueba, la pérdida, parar, delantero–a, bailar, saltar* to dance, to jump, proof, loss, to stop, front

COMPREHENSION

I. Complete the following statements with the group of words taken from the second column:

1. La niña quería   a. iba en un coche.
2. Ella andaba   b. que el perro era suyo.
3. Una dama bien vestida   c. ninguna de aquellas cosas.
4. La chica llamó   d. por una calle.
5. El animal saltó   e. tenía razón.
6. La señora declaró   f. con una sonrisa en los labios.

7. La muchacha le preguntó   g. a su perrito.
8. Ella concluyó   h. al perro del coche.
9. El perro no sabía hacer   i. del coche.
10. La chica de diez años   j. si el perro sabía hacer varias cosas.

II. Idioms — Complete each sentence with one of the idioms on the right:

1. La dama del coche *is not right*.   saber hacer
2. El perrito no *know how to do* nada.   obstinarse en decir
3. *Of course* el perrito es suyo.   tener razón

4. La niña ve a su perro *after a few days*.

claro que

5. La dama *was obstinate in saying* que había criado el perrito.

a los pocos días

AURAL–ORAL PRACTICE

PREGUNTAS 1. ¿ Cuántos años tiene la niña ? 2. ¿ Cómo había perdido a su perrito ? 3. ¿ Quería mucho a su perrito ? 4. ¿ Por dónde andaba a los pocos días ? 5. ¿ Qué creyó ver ? 6. ¿ Qué hizo el perrito cuando la niña lo llamó por su nombre ? 7. ¿ Qué insistió en hacer la dama ? 8. ¿ Declara la dama que el perrito sabía hacer muchas cosas ? 9. ¿ Está diciendo la verdad ? 10. ¿ Qué sabe hacer el perrito de la niña ?

DRAMATIZATION — Act the scene between the well-dressed lady and the child before the class.

Curro
el valentón[1]

Curro era un gitano andaluz que se las daba de [2] valiente.
Por todas partes se jactaba de su valentía.[3] Cierta noche
en un café, después de la comida, empezó a gloriarse como
de costumbre.[a] Decía ante unos amigos:

5 — Sí señor, yo soy el gitano más valiente del mundo.
Y voy a probárselo a ustedes ahora mismo.[b] Voy a ir al
cementerio [4] a dar una paliza [5] a algún muerto.

— Mire, Curro, no gaste bromas con [6] los muertos.
Nadie tolera [7] eso, ni aun los muertos — le dijo uno de
10 sus amigos.

Pero Curro, sin atender a los buenos consejos de sus
amigos, se fue al cementerio. Una vez allí,[8] empezó a
gritar:

— ¡ Abran, muertos ! Vamos a ver si hay algún difunto [9]
15 valiente aquí. ¡ Ahora mismo voy a entrar y no dejar
un muerto vivo ! Cobardes, les desafío a una pelea [10]
individual o a todos juntos.

---

[1] el valentón : persona que se alaba mucho de ser valiente   [2] se las daba de : se
alababa mucho de ser   [3] su valentía : su extremo valor   [4] al cementerio : al
sitio donde están enterrados los muertos   [5] una paliza : una serie de golpes dados
con un palo   [6] no gaste bromas con : no se burle de   [7] tolera : permite   [8] Una
vez allí : cuando llegó allí   [9] el difunto : el muerto, la persona muerta   [10] una
pelea : acto de pelear, un combate

70

Y tanto escándalo armó [1] Curro que el sereno, cansado ya, agarró [2] un palo y le dio una real paliza. El sereno tuvo la satisfacción de dejar al gitano hecho una lástima.[3] Con dificultad volvió Curro a donde estaban sus amigos. 5 Al verlo en ese lamentable estado, los que le habían dado el buen consejo le dijeron:

— ¿No le dijimos que bromear [4] con los muertos resultaría peligroso para usted?

Y el pobre Curro, tocándose las costillas, [5] exclamó:

10 — Lo que es una broma es que yo no sabía que entierran [6] a los muertos con palo.

IDIOMS

a) *como de costumbre*   as usual
b) *ahora mismo*   right now

WORD STUDY

I. What English words and meaning do you recognize from *valiente, tolerar, la satisfacción, la dificultad, exclamar*? Find more words of the same kind in the text.

II. Match the opposites of the first line with those of the second:

la noche, después, el amigo, el muerto, nadie, empezar
el enemigo, acabar, alguien, el día, antes, el vivo

COMPREHENSION

I. Complete in accordance with the text:
   1. Curro decía que era . . . 2. Iba a dar una paliza a . . .
   3. No atendió a los consejos de . . . 4. Desafió a una pelea
   a . . . 5. El sereno dio una real paliza . . . 6. El gitano
   dijo que enterraban a . . .

---

[1] armó : causó, produjo   [2] agarró : tomó, cogió   [3] hecho una lástima : medio muerto   [4] bromear : usar bromas   [5] las costillas : los lados de su cuerpo   [6] entierran : ponen bajo tierra

II. Dialog — Learn by heart:

— ¿ Me hace el favor de la lista ?
— Con mucho gusto. ¿ Cuántos son ustedes ?
— Somos dos. ¿ Cuántos platos tiene el menú ?
— Cuatro, sopa, pescado asado, carne con verdura y postre.
— Sírvanos sopa, pescado, carne con verdura y postre.
— ¿ Algo más, señores ?
— Nada más. La cuenta, por favor.
— En seguida, caballeros.

FRASES ÚTILES

Tenemos prisa.	We are in a hurry.
Sírvanos pronto.	Wait on us right away.
¿ Qué hay ya listo ?	What have you ready ?

AURAL–ORAL PRACTICE

PREGUNTAS 1. ¿ Quién era Curro ? 2. ¿ De qué se jactaba ?
3. ¿ Qué empezó a hacer cierta noche ?   4. ¿ Qué decía a sus
amigos ? 5. ¿ A dónde iba a ir ? 6. ¿ Qué iba a hacer ? 7. ¿ Qué
le dijo uno de sus amigos ? 8. ¿ A quién desafió ? 9. ¿ Qué llamó
a los muertos ? 10. ¿ Quién armó un gran escándalo ? 11. ¿ Qué
hizo el sereno ? 12. ¿ Qué satisfacción tuvo ? 13. ¿ A dónde
volvió el gitano ? 14. ¿ Quién le habló ? 15. ¿ Qué es lo que no
sabía Curro ?

El
más
listo

Éste es el cuento de los tres hermanos que eran muy
buenos mozos.   Los tres vivían en una granja [1] con su
padre, a quien querían mucho.

    Al morir, dejó el campesino, por toda herencia, la canti-
5 dad de trescientos pesos.   Los dos hermanos mayores, que
eran muy ambiciosos, querían hacerse dueños de toda la
cantidad.

    Para quedarse uno solo con el dinero, mandaron al
menor enterrar la plata.   Luego los tres iban a salir por
10 un año en busca de aventuras.   Al cabo del [a] año iban a

---

[1] la granja : tierra agrícola con casa en el campo

volver a la granja y entregar el dinero al que dijese [1] la mentira más grande.

Después de un año se juntaron [2] los tres hermanos en el mismo sitio donde estaba enterrado el dinero.

Después de abrazarse, comenzó el mayor:

— Yo, hermanos míos, he trabajado todo el año de labrador en una granja. Una vez planté una planta de garbanzos que creció tanto, pero tanto, que llegó hasta el cielo.

— Ahora, di tu mentira — dijo el mayor al segundo.

— Yo he trabajado — dijo éste — en una hilandería.[3] Torcí en una ocasión un hilo tan largo, pero tan largo, que mientras yo lo tenía de una punta, la otra llegaba al cielo.

— Muy grande es la mentira — dijeron los otros dos.

— A ti, hermanito, te toca ahora decir [b] tu mentira.

— Yo — dijo el menor — no trabajé en nada fijo. Trabajé cuando pude, pero en nada de particular.[4] Una noche que pasaba solo por un camino, me puse a torcer [c] un cigarrillo. Cuando iba a encenderlo, descubrí que no tenía fósforos. Mientras tanto [d] moría de ganas de [5] fumar. ¿ Qué hice entonces ? ¡ Ustedes no me van a creer ! Vi una luz en la luna y subí hasta ella a encender mi cigarrillo.

— ¿ Y por dónde subiste ?

— Por el hilo que tú torciste.

— ¿ Y por dónde bajaste ?

— Por la planta de garbanzos que tú plantaste.

Los trescientos pesos los ganó naturalmente el menor que era el menos ambicioso. Ni siquiera se había preparado todo el año para urdir [6] una mentira.

---

[1] al que dijese : a la persona que diría   [2] se juntaron : se reunieron   [3] la hilandería : fábrica donde hilan   [4] nada de particular : nada especial   [5] moría de ganas de : deseaba muchísimo   [6] urdir : inventar

IDIOMS

a) *al cabo de*	at the end of
b) *tocar a alguien decir*	to be one's turn to say
c) *ponerse a torcer*	to begin to roll
d) *mientras tanto*	meanwhile, in the meantime

WORD STUDY

I. What English words and meanings do you recognize from *la cantidad, la aventura, el menor, la planta, preparar?* Find more words of the same kind in the text.

II. In each line select the correct translation of the Spanish word:

1. *mozo*	desert	mole	page	young man	trick
2. *dueño*	plot	down	glass	mirror	owner
3. *mentira*	meter	year	lie	heat	comb
4. *entregar*	intrigue	battle	know	touch	deliver
5. *encender*	wish	burn	incense	light	remove

COMPREHENSION

I. Rearrange in the natural sequence of the story the following sentences:

1. El menor ganó los trescientos pesos de la herencia.
2. Los dos hermanos mayores eran muy ambiciosos.
3. El que decía la mentira más grande iba a recibir la herencia.
4. Al morir, dejó el campesino trescientos pesos.
5. Los tres iban a salir en busca de aventuras por un año.
6. Tres hermanos vivían en una granja con su padre.

II. Series — a) Recite the following sentences of the series in the past and future. b) Repeat them in the present, past and future with the subject *nosotros*.

1. Los tres hermanos salen en busca de aventuras.
2. Después de un año vuelven a la granja.
3. Los tres explican cómo han pasado el tiempo.
4. Los dos hermanos mayores trabajan todo el año.
5. Ellos pierden los trescientos pesos de la herencia.

III. Verbs — Recite the following sentences completely in Spanish:

1. Ellos *bought* la granja. 2. Los dos *returned* después del año. 3. El menor *is* el más listo de los tres. 4. Los tres hermanos *will arrive* pronto. 5. ¿ Qué *will say* los hermanos mayores ? 6. Los dos hermanos *do not do* nada.

AURAL–ORAL PRACTICE

PREGUNTAS 1. ¿ De quién se habla en este cuento ? 2. ¿ Dónde vivían ? 3. ¿ Con quién vivían ? 4. Al morir, ¿ cuánto dejó el campesino ? 5. ¿ Qué tal eran los dos hermanos mayores ? 6. ¿ Qué querían hacer ? 7. ¿ Qué mandaron hacer al menor ? 8. ¿ Qué iban a hacer los tres hermanos ? 9. ¿ Cuándo iban a volver los tres a la granja ? 10. ¿ Quién iba a ganar los trescientos pesos ? 11. ¿ Dónde se juntaron los hermanos ? 12. ¿ Qué plantó el hermano mayor ? 13. ¿ Hasta dónde llegó la planta ? 14. ¿ Qué hizo el segundo hermano ? 15. ¿ A dónde llegó la punta del hilo ? 16. ¿ Qué hizo el menor ? 17. ¿ Qué descubrió ? 18. ¿ A dónde subió ? 19. ¿ Cómo subió y bajó ? 20. ¿ Quién ganó los trescientos pesos ?

DRAMATIZATION — Act before the class the meeting of the three brothers after their adventures.

En este mundo de trampas

Manuel y Ramón eran muy buenos amigos. Los dos se entendían muy bien. Manuel invitó a un grupo de amigos a un restaurante. Ramón hizo lo mismo con otro grupo. Los dos grupos comieron juntos y se divirtieron mucho.

5 Cuando llegó la hora de pagar, Manuel llamó al mozo y le dijo:

— ¡ Tráigame la cuenta, por favor ! [a]

Entonces dijo Ramón:

— La cuenta tráigamela a mí, y no a él.

10 Volvió el mozo con la cuenta. Entonces entre Manuel y Ramón empezó una discusión sin fin.

— ¡ Quiero pagar yo !

— ¡ De ninguna manera ! [b] ¡ Soy yo quien pago !

— ¡ Y yo insisto en pagar !

15 — ¡ Le digo que no ! [1] ¡ Esta cena la pago yo !

Las cosas iban subiendo de tono.[2] Los comensales [3] de otras mesas comenzaban a dar [c] señales de temor. Creían que los dos iban a pelearse. Tanto gritaron que intervino [4] el dueño del restaurante.

20 — ¿ Qué pasa,[d] señores ?

— Esta cena voy a pagarla yo y nadie más que yo [5] — gritó Manuel.

[1] ¡ Le digo que no ! : ¡ Le digo, no !   [2] Las cosas iban subiendo de tono. : Los dos se excitaban más y más.   [3] Los comensales : las personas que comen en la misma mesa   [4] intervino : trató de poner paz entre ellos   [5] nadie más que yo : solamente yo

— Jamás lo permitiré — gritó Ramón. — ¡ La pagaré yo !

— Si usted hace pagar a Ramón — dijo Manuel dirigiéndose al dueño, — ¡ jamás volveré a traer a mis amigos a este restaurante !   5

— Y si usted hace pagar la cuenta a Manuel — exclamó Ramón, — ¡ jamás volveré a traer los míos !

El dueño, para mantener la paz entre los dos amigos y terminar la discusión, dijo:

— Bien, la cuenta no la pagará ninguno de ustedes dos. 10 La cuenta de esta cena la pagará la casa.

Al salir del restaurante, Manuel y Ramón se dieron la mano,[e] muy contentos.

— Es un buen sistema, ¿ eh ? — dijo Manuel a Ramón.

IDIOMS

a) *por favor*   please
b) *de ninguna manera*   by no means
c) *comenzar a dar*   to begin to show
d) *¿ Qué pasa ?*   What is the matter ?
e) *darse la mano*   to shake hands

WORD STUDY

I. What English words and meaning do you recognize from *el grupo, la discusión, la manera, mantener, terminar*? Find more words of the same kind in the text.

II. Word family — You know the meaning of the first word in each group. Use a Spanish-English dictionary to get the meaning of the other words.

    1. invitar: la invitación, el invitado, invitado, –a
    2. comer: el comedor, comestible, el comensal
    3. pagar: el pago, la paga, el pagador, pagadero, –a, el pagaré
    4. la casa: casar, casarse, casado, –a, el casamiento, casadero, –a

COMPREHENSION

I. Tell whether the following sentences are true or false:
1. Manuel y Ramón son muy buenos amigos.
2. Los dos grupos comen en el mismo restaurante.
3. Ninguno de los dos invita un grupo de amigos.
4. Los dos amigos quieren pagar la cuenta.
5. Ninguno de ellos insiste en pagar la cena.
6. Por fin interviene el dueño del restaurante.
7. Para terminar la discusión, Ramón paga la cuenta.

II. Sentence Formation — Use the subjects with other parts of the table.

MODELS — Usted quiere pagar la cuenta.
Nosotros queremos llegar al restaurante a tiempo.

1. Yo	quiero invitar	a un grupo de amigos.
2. Usted	quiere llegar	al restaurante a tiempo.
3. Manuel	quiere pagar	la cuenta de la cena.
4. Nosotros	no queremos oír	una discusión sin fin.
5. Los amigos	no quieren tomar parte	en la pelea.

AURAL–ORAL PRACTICE

PREGUNTAS 1. ¿ Qué eran Manuel y Ramón ? 2. ¿ Cómo se entendían ? 3. ¿ A quiénes invitaron los dos amigos ? 4. ¿ Qué tal comieron los dos grupos ? 5. ¿ Cuándo llamó Manuel al mozo ? 6. ¿ Quién quería pagar la cuenta ? 7. ¿ Qué creían los comensales de otras mesas ? 8. ¿ Quién intervino entonces ? 9. ¿ Qué dijo el dueño para mantener la paz ? 10. ¿ Qué quería terminar ? 11. ¿ Qué va a pagar la casa ? 12. ¿ Qué dijo Manuel a Ramón al salir del restaurante ?

Dramatize before the class the scene in the restaurant.
Characters: Ramón, Manuel, the waiter, the owner, guests in the restaurant (other pupils).

No era
de aquel
color

Personas hay que cambian de carácter a causa de la vida intensa que llevan. Eso le pasó al señor Muñoz, un hombre sumamente nervioso. Como padecía de alucinaciones [1] y tenía muchos dolores, fue a ver a un médico y le dijo:

5

— ¡ Oh ! doctor, estoy muy enfermo; sufro mucho. ¡ Si sólo pudiera morirme de una vez ! [2]

[1] padecer de alucinaciones : ver cosas imaginarias   [2] ¡ Si sólo pudiera morirme de una vez ! : ¿ Por qué no me muero de una vez para siempre ?

El médico trató de calmarlo:

— No se preocupe. Voy a hacer todo lo posible por ayudarlo.

— Además de todos mis dolores, tengo un gato en el estómago.

— ¿ Un qué ?

— Un gato, doctor.

— ¡ No diga tonterías ! Eso es imposible. Nadie puede vivir con un gato en el estómago. Mejor dicho,[1] ¡ ningún gato puede vivir en el estómago de una persona !

— Le aseguro que sí,[2] doctor. Yo sé lo que le digo . . . ¡ Créame, doctor ! Lo siento en el estómago. Salta . . . ¡ y hasta maúlla ![3]

Y así pasa media hora en el consultorio.[4] Al fin, el médico, ya desesperado, dijo a su paciente:

— Bien . . . En ese caso, lo único que puedo hacer es operarlo. Venga a verme mañana y le saco el gato del estómago.

Al día siguiente,[5] allí estaba el paciente. El médico lo tendió en un sofá y le dio cloroformo. Mientras el otro estaba dormido, el médico trajo un gato y lo puso a su lado. Cuando el hombre volvió en sí [a] vio que el médico tenía en la mano un gato.

— Amigo — le dijo el médico — confieso que usted tenía razón. Lo operé, y en efecto,[b] aquí está el gato que le saqué.

Miró el paciente al gato, primero con alegría, pero luego desconsolado [6] exclamó:

— ¡ Pero no, doctor ! ¡ Usted me ha engañado ! ¡ Ese gato es gris y el que tengo en el estómago es negro !

---

[1] mejor dicho : quiero decir   [2] Le aseguro que sí. : Le repito que es verdad.
[3] maúlla : hace el sonido del gato   [4] el consultorio : la oficina del médico
[5] al día siguiente : el día después   [6] desconsolado : muy triste

IDIOMS

a) *volver en sí*   to come to, regain consciousness
b) *en efecto*   as a matter of fact

WORD STUDY

I. What English words and meaning do you recognize from *sufrir, calmar, preocupar, el estómago, confesar?* Find more words of the same kind in the text.

II. Oral Word Review — Ask for Spanish words which begin with the first three letters of the alphabet. Have the pupils use some of these words in short sentences.

COMPREHENSION

I. Complete the following sentences in accordance with the text:

1. El señor Muñoz era . . .   2. El médico hizo todo . . .
3. El paciente dijo que tenía . . .   4. El médico le dijo que . . .   5. El médico confesó que el enfermo . . .   6. El gato de mi estómago era . . . y no . . .

II. Dialog — Learn by heart:

CON EL MÉDICO

— ¿ Cómo está usted, señor Ortega ?
— No muy bien, doctor.
— Dígame, ¿ qué le pasa ?
— Creo que tengo un resfriado, o la gripe, y un fuerte dolor de cabeza.
— Voy a darle una receta para curarlo.
— Gracias, doctor. ¿ Cuánto le debo ?
— Mis honorarios son diez pesos.

III. Verb Review — Tell whether the following verbs are in the present, past or future. Also give the person and number.

cambian, pasó, fue, veremos, dijo, sufro, trató, estoy, voy, haremos, puede, sé, digo, verá, tendió, volverán, operé.

AURAL–ORAL PRACTICE

PREGUNTAS 1. ¿ Quién cambió de carácter en el cuento ? 2. ¿ Qué tal era el señor Muñoz ? 3. ¿ De qué padecía ? 4. ¿ A quién fue a ver ? 5. ¿ Qué dijo al médico ? 6. ¿ Qué contestó el médico ? 7. ¿ Qué le aseguró el paciente ? 8. ¿ Cuánto tiempo pasan los dos en el consultorio ? 9. ¿ Qué le iba a hacer el médico al paciente ? 10. ¿ Cuándo iba a operarlo ? 11. ¿ Qué hizo el médico, cuando dormía el paciente ? 12. Cuando volvió en sí, ¿ qué vio el paciente ? 13. ¿ De qué color era el gato que tenía el médico en la mano ? 14. Según el paciente, ¿ de qué color era el gato que tenía en el estómago ?

ORAL COMPOSITION — Recite three connected sentences on the following topics:
1. My family
   a. How large is it ? b. How many brothers and sisters are there ? c. What do the members do ?
2. My father
   a. What is his profession ? b. How old is he ? c. How much does he love his family ?

Un
abrigo
barato

Había empezado el invierno y Alfonso no tenía abrigo.
Hacía mucho frío [a] y no era posible continuar sin él. Alfonso era muy pobre, pero muy listo. Trabajaba, pero
ganaba tan poco que apenas le alcanzaba [1] su sueldo para   5
cubrir las necesidades diarias. Comprar un abrigo era algo
muy difícil para él. ¿ Pasó el invierno sin abrigo ? No
señor, consiguió uno. ¿ Cómo lo consiguió ? No podía
robarlo, porque era un hombre honrado. Mas le era abso-
lutamente necesario tener uno.

Y así salió una tarde del trabajo temblando de frío. 10
Todo el mundo estaba bien abrigado. Dio unas vueltas [b]
por la ciudad y pasó por frente de una casa de empeños.[2]
Abrió la puerta y entró por ella. Detrás del mostrador
estaba uno de esos hombres de aire sutil y desconfiado.[3]
Éste quedó mirando el aspecto pobre de Alfonso y pensó . . . 15

— ¿ Qué querrá este hombre ? [4]

Alfonso llevaba en la mano un sobretodo. Era bastante
viejo, pero de buena clase, muy limpio y muy bien remendado.[5]

— ¿ Cuánto me da por este sobretodo ? — preguntó. Lo   20
puso sobre el mostrador y el empleado lo examinó con
todo cuidado, por todos lados.

---

[1] le alcanzaba : le era suficiente   [2] una casa de empeños : casa que presta dinero
sobre ropas o joyas   [3] desconfiado : sospechoso   [4] ¿ Qué querrá este hombre ? :
Me gustaría saber qué quiere este hombre.   [5] remendado : cosido

— Le doy dos pesos — contestó.

— ¿ Dos pesos solamente ? — exclamó Alfonso sorprendido.

— Sí, nada más que ᶜ dos pesos.

5   — Pero, este abrigo vale lo menos ᵈ diez — añadió Alfonso.

— Le doy dos pesos — respondió el hombre con impaciencia. — Le doy dos pesos o nada.

— ¿ Está usted seguro de que este abrigo vale sólo dos 10 pesos ? — volvió a preguntar Alfonso.

— Sí, no le daría diez pesos por seis iguales.

— ¿ Está usted completamente seguro ?

— Ya le dije que sí,[1] no me haga perder el tiempo. Si quiere dos pesos bien, si no, nada.

15   — Perfectamente [2] — dijo Alfonso, poniéndose el abrigo.

— Aquí están sus dos pesos. Este abrigo estaba colgado a la puerta de la tienda y yo sólo quería saber cuanto valía de veras, para comprarlo.

IDIOMS

a) *hacer frío*	to be cold (weather)
tener frío	to be cold (person)
estar frío	to be cold (thing)
b) *dar unas vueltas*	to take a stroll
c) *nada más que = solamente = sólo*	only
d) *lo menos = a lo menos = al menos* *= por lo menos*	at least

WORD STUDY

I. What English words and meaning do you recognize from *continuar, necesario, entrar, responder, el aspecto*? Find more words of the same kind in the text.

---

[1] Ya le dije que sí. : Ya le dije que es verdad.   [2] Perfectamente. : Muy bien.

II. Match the synonyms of the first line with those of the second:

consequir, necesario, el sobretodo, solamente, responder
contestar, sólo, obtener, preciso, el abrigo

COMPREHENSION

I. Complete the sentences with the suitable word chosen from
the parentheses:
1. Aquel invierno Alfonso no tenía (mostrador, abrigo,
apenas).
2. Una tarde salió temblando de (ciudad, tarde, frío).
3. Alfonso llevaba en la mano (un aspecto, un sobretodo, una
puerta).
4. El abrigo valía solamente (dos, diez, cien) pesos.
5. El hombre estaba detrás del (abrigo, mostrador, empleado).
6. No podía comprar el abrigo porque era (listo, pobre,
honrado).

II. Substitution Table — Form new sentences by using the subjects with other parts of the table:

MODELS — Alfonso quería un abrigo nuevo.
Yo trataba de pasar un invierno sin abrigo.

1. Alfonso	era	un hombre sin dinero.
2. El hombre	trataba de ganar	mejor sueldo.
3. El caballero	quería conseguir	un abrigo nuevo.
4. Yo	iba a pasar	un invierno sin abrigo.
5. Mi amigo	miraba	al pobre con aire desconfiado.
6. Usted	estaba	seguro de usarlo.

AURAL–ORAL PRACTICE

PREGUNTAS 1. ¿Qué estación del año había empezado? 2. ¿Qué
es lo que no tenía Alfonso? 3. ¿Por qué no podía comprar un
abrigo? 4. ¿De dónde salió una tarde? 5. ¿Dónde entró?
6. ¿Qué llevaba en la mano? 7. ¿Qué preguntó al hombre que
estaba detrás del mostrador? 8. ¿Cuánto quiere darle a Alfonso?
9. ¿Cuánto dice Alfonso que vale el abrigo? 10. ¿Quién no
quiere perder tiempo? 11. ¿Cuánto paga Alfonso por el abrigo?
12. ¿Qué quería saber para comprarlo?

No iba
a ser el único
idiota

La vida de un médico de campo no es muy fácil. Al contrario es muy difícil. Muchos sufren toda clase de abusos. Hasta hay casos en que los pacientes hacen perder la paciencia a un santo.

5   A las dos de una madrugada fría y tempestuosa,[1] un médico fue despertado por una llamada telefónica. Se requería su presencia en un pueblo a cuatro millas de distancia. De mal humor, pero dispuesto a cumplir con su deber,[a] el médico fue a visitar al lejano paciente.

10 Llegó a la casa, tocó el timbre, y el mismo enfermo le abrió la puerta.

—No tengo enfermedad alguna, querido doctor. No

---

[1] tempestuoso : con tempestad

me duele nada — le dijo el hombre — pero tengo la sensación [1] de que la muerte anda muy cerca de aquí y que, de
un momento a otro, va a entrar en mi casa esta noche . . .

El médico, después de examinarlo, se pone furioso. Con
terrible expresión de ira en la mirada le pregunta: ·   5
— ¿ No ha hecho usted testamento ? [2]
— ¡ Por Dios,[3] doctor . . . ! ¡ A mi edad . . . ! ¡ Sólo
tengo veinticinco años !
— Pues, es preciso mandar a buscar [b] en seguida a su
abogado. El caso es muy serio.   10
Con el rostro pálido, el hombre obedeció e hizo una
llamada telefónica.
— ¿ No tiene usted un sacerdote amigo ? Es conve-
niente llamarlo.
— Pero doctor, ¿ cree usted que voy a morirme de veras ? 15
— preguntó el hombre con rostro de terror.
— Y llame a su padre también — le dijo sin hacer caso
al [c] inquieto [4] paciente. — Llámelo en seguida. La oca-
sión lo merece.
El enfermo se cayó en una silla al oír todo aquello.   20
— Pero, ¡ Santo Dios ! [5] ¡ No es posible ! ¿ Cree usted
que voy a morir esta misma noche ?
Al poco rato,[d] la casa estaba llena de gente: el sacerdote, el abogado y los familiares.[6]
El médico los miró a todos con expresión fría y les dijo: 25
— Caballeros, los he llamado a todos para decirles que
este señor no tiene enfermedad alguna. Está bueno y sano.
Además, quiero decirles también que de ningún modo [e]
iba a ser yo el único idiota a quien hizo levantarse [f] de la
cama a estas horas inútilmente [7] y ¡ en una noche como 30
ésta !

[1] la sensación : la impresión   [2] el testamento : documento legal que hace la
persona antes de morir   [3] ¡ Por Dios ! : ¡ Dios mío !   [4] inquieto : agitado,
excitado   [5] ¡ Santo Dios ! : ¡ Gran Dios !   [6] los familiares : los miembros de la
familia   [7] inútilmente : sin razón

IDIOMS

a) *cumplir (con) su deber*   to fulfill one's duty
b) *mandar a buscar*   to send for
c) *hacer caso a*   to pay attention to
d) *al poco rato*   shortly after, after a short while
e) *de ningún modo*   under no circumstances, by no means
f) *hacer levantarse*   to make one get up

WORD STUDY

I. What English words and meaning do you recognize from *el idiota, la presencia, la milla, visitar, examinar*? Find more words of the same kind in the text.

II. Word Families — You know the meaning of the first word in each line. Consult a Spanish-English dictionary and learn the meaning of the other words.
   1. morir: la muerte, el muerto, la muerta, moribundo
   2. perder: perdido, -a, la pérdida, el perdedor, la perdición
   3. enfermo, -a: el enfermo, la enferma, la enfermedad, enfermarse, la enfermera, enfermizo, -a, la enfermería

COMPREHENSION

I. Arrange the following sentences in accordance with the story:
   1. Luego el médico le hizo varias preguntas.
   2. El médico lo examinó y no le dijo nada.
   3. El médico les dijo que él no quería ser el único idiota.
   4. Un médico de campo fue despertado a las dos de la mañana.
   5. El paciente tenía la sensación de que iba a morir.
   6. El paciente requería su presencia.
   7. Hizo venir a todos sus parientes y amigos.
   8. La casa del paciente estaba muy lejos.

II. Idioms — Translate the following idioms into Spanish.   Use
each in a short sentence:

1. to pay attention to
2. under no circumstances
3. to fulfill one's duty
4. to make one get up
5. to send for
6. shortly after

III. Dramatization — Have a pupil write a short sketch of the
scene which takes place after the doctor examines the
patient.   Act the scene before the class.

AURAL–ORAL PRACTICE

PREGUNTAS   1. ¿ Es fácil la vida de un médico de campo ?
2. ¿ Qué sufren muchos médicos ?   3. ¿ Qué clase de casos hay ?
4. ¿ A qué hora fue despertado el médico ?   5. ¿ A qué distancia
estaba el paciente ?   6. ¿ Quién le abrió la puerta ?   7. ¿ Qué le
dijo el enfermo ?   8. ¿ Qué le preguntó el médico después de examinarlo ?   9. ¿ A quién más hizo llamar ?   10. ¿ De quiénes estaba llena la casa ?   11. ¿ Por qué los ha llamado ?   12. ¿ Castigó
el médico al pretendido enfermo ?

Curiosidad infantil[1]

S. y J. ÁLVAREZ QUINTERO[2]

Cristóbal era el antiguo sirviente de una familia andaluza. Tenía casi ochenta años, las piernas débiles y la cabeza no muy fuerte.

Aunque no estaba ya [3] en condiciones de trabajar, ni
5 mucho ni poco, los amos lo conservaban a su lado. Hacían esto con mucho gusto, pues agradecían los servicios que el buen criado les había prestado toda la vida. Además, era Cristóbal muy hábil en entretener a los niños, y en la casa había dos: María y Pedro.
10 Una tarde, entre los dos, casi acabaron con [a] la paciencia del pobre viejo, y también con su saber, que no era mucho.

— Cristóbal, ¿ cuántas estrellas hay ?

— Pues, . . . unas noches hay más . . . y otras menos . . .

— ¿ Y por qué ?
15 — Porque en las noches de luna [4] no salen todas las estrellas.

— ¿ Crees tú que la luna es una estrella ?

— No, la luna . . . es la luna.

— ¿ Dónde están sujetas las estrellas ?
20 — En el aire.

— ¿ Y no pueden caer ?

— No lo creo. Tengo ochenta años y nunca he visto caer ninguna.

— ¿ Y dónde está el sol ?

---

[1] infantil : de niños [2] los hermanos Serafín y Joaquín Álvarez Quintero, (Serafín, 1871–1938), (Joaquín, 1873–1944), célebres escritores dramáticos. [3] aunque no estaba ya : a pesar de que ya no estaba [4] las noches de luna : las noches con luna

Cristóbal, sin saber qué decir, empezó a cantar.

— ¿ No lo sabes ?

— ¡ Claro que lo sé !

— Oye Cristóbal, ¿ cómo anda el tren ?

— ¿ El tren ? Tú has visto el carbón que lleva dentro. 5

— Sí, lo he visto.

— ¿ Y has visto al maquinista ?

— También.

— Pues, ahí lo tienes.[1] Abre los ojos y verás la explicación de muchas cosas. 10

— ¿ Son veneno [2] los fósforos ?

— ¿ Son malos los moros ?

— ¿ Por qué llueve, Cristóbal ?

— ¿ Quién es más fuerte, un toro o un caballo ?

— Oye, Cristóbal . . . 15

— Oye, Cristóbal . . .

El pobre Cristóbal tuvo que cubrirse los oídos.

En el momento en que la conversación era más animada [3] pasó por allí la señora de la casa. Al ver a sus hijos [b] los acarició [4] y preguntó al viejo: 20

— ¿ Son malos contigo, Cristóbal ? Si es así, desde mañana vuelven a la escuela y no hay más vacaciones.

El buen Cristóbal contestó con una triste sonrisa en los labios:

— No, señora, el que irá a la escuela desde mañana soy 25 yo.

IDIOMS

a) *acabar con*   to put an end to

b) *al ver a sus hijos = cuando vio a sus hijos*   on or upon seeing
                                                   her children

---

[1] Ahí lo tienes. : Así, ahí tienes la explicación.   [2] el veneno : algo peligroso que puede causar la muerte   [3] animada : alegre, agitada, excitada   [4] los acarició : los besó

WORD STUDY

I. What English words and meaning do you recognize from *la familia, el servicio, entretener, el aire, el tren, la explicación, el momento, la conversación*? Find more words of the same kind in the text.

II. Match the opposites of the first line with those of the second of *a* and *b*.
   a) débil, trabajar, la vida, también, la noche, salir
      entrar, el día, fuerte, descansar, la muerte, tampoco
   b) ninguno, empezar, dentro, ahí, preguntar, triste
      aquí, contestar, alegre, alguno, acabar, fuera

COMPREHENSION

I. Join the parts, from both columns, which belong to the same sentence.

1. Cristóbal era el antiguo sirviente	a. mañana vuelven a la escuela.
2. Le agradecían los servicios que	b. pasó la señora de la casa.
	c. dos niños, María y Pedro.
3. En ese momento	d. de una familia andaluza.
4. Si son malos	e. les había prestado.
5. En la casa había	f. caer una estrella.
6. Los niños del cuento	g. a la escuela.
7. Los dos acabaron con	h. eran María y Pedro.
8. El viejo no contestó	i. la paciencia de Cristóbal.
9. Él tenía que ir	j. todas las preguntas.
10. Nunca había visto	

II. Idioms — Recite the following statements entirely in Spanish:
   1. Cristóbal *had to* cubrirse los oídos. 2. No *there are* vacaciones este año. 3. Los niños casi *put an end to* su paciencia. 4. *On seeing* a sus hijos, preguntó algo a Cristóbal. 5. El pobre viejo *was* ochenta años.

AURAL–ORAL PRACTICE

PREGUNTAS 1. ¿Quién era Cristóbal? 2. ¿Podía trabajar mucho o poco? 3. ¿Cuánto tiempo había prestado servicios?

4. ¿Quiénes eran los niños de la familia? 5. ¿Cuándo casi acabaron con la paciencia de Cristóbal? 6. ¿Cuáles eran algunas preguntas de los niños? 7. ¿Podía el viejo contestar todas las preguntas de María y Pedro? 8. ¿Cuándo pasó por allí la señora de la casa? 9. ¿Qué preguntó la señora a Cristóbal? 10. Para contestar todas las preguntas de los niños, ¿qué tenía que hacer Cristóbal?

11. ¿Tiene usted criado o criada en su casa? 12. ¿Tiene usted niños en su familia? 13. ¿Cuántos años tiene usted? ¿su padre? ¿su madre? 14. ¿Le gusta estudiar las estrellas? 15. ¿Dónde pasa usted las vacaciones?

ORAL COMPOSITION — Dramatize the scene of Cristóbal with María and Pedro.

La necesidad

ANTONIO DE TRUEBA[1]

Roberto no tenía más familia que ª un hijo de diez años. También tenía un burro ya de veinte. Desde la muerte de su esposa le iba muy mal.[2] Ella era quien cuidaba antes el molino, mientras él llevaba los sacos de harina a los 5 pueblos vecinos. Como no ganaba mucho, se encontraba con un gran problema: no podía pagar una sirvienta para cuidar la casa, ni un sirviente para llevar la harina.

— ¿ Qué va a hacer usted ? — le preguntaron sus vecinos, al verlo solo, sin más ayuda que la del chico.

10 — Alguien me ayudará — contestó Roberto.

— ¿ Quién le va a ayudar ?

— ¿ Quién ? Pues, la Necesidad.

Mucho se rieron los vecinos del ᵇ buen humor de Roberto, sin comprender lo que éste quería decir.

15 Una mañana arregló Roberto el burro y le puso encima unos sacos de harina muy pesados. Después llamó al muchacho y le dijo:

---

[1] Antonio de Trueba (1819–1889), ilustre poeta y uno de los mejores cuentistas españoles   [2] le iba muy mal : las cosas iban muy mal

— Lleva estos sacos al pueblo vecino.

El chico se puso a llorar. Tenía miedo de [1] que el burro, al fatigarse, se iba a echar en el suelo y no caminar más. ¿Qué podía hacer él si pasaba eso?

— No tengas cuidado,[e] hijo. Si eso sucede, alguien te 5 ayudará a levantar el burro.

— ¿Quién me va a ayudar por ese camino tan solo?

— ¿Quién? Pues, la Necesidad. Si el burro se cae o se echa en el suelo y no se puede levantar, llama a la Necesidad. Verás qué pronto llega a ayudarte. 10

— Está bien — dijo el chico, limpiándose las lágrimas con la manga de la chaqueta.

Cogió al burro de la cuerda, que tenía atada al pescuezo,[2] y tomó el camino del pueblo.

— ¡Qué ideas tiene ese Roberto! — exclamaron los 15 vecinos. — ¿Conque era la Necesidad quien lo iba a ayudar? Ahora manda a ese pobre chico a llevar la harina. ¿Y quién será el que va a ayudar a su hijo?

Marchaba el chico por el camino con el burro detrás. El pueblo estaba a tres millas de distancia del molino. Iba 20 por la orilla del río, a la sombra de los árboles. Pasaron por un sitio en que había mucho polvo. El burro pensó: « ¡Qué bueno está ese polvo [3] para descansar un rato! Sobre todo si puedo soltar estos sacos tan pesados que llevo en el lomo ».[4] 25

Y pensando así, sin dar al chico tiempo de verlo, se echó en el polvo.

— ¡Ay, Dios mío! [5] — exclamó el muchacho aterrado.[6]

Tomó una rama y empezó a dar golpes al burro. Pero éste, aunque trataba de levantarse, no podía. Ya iba a 30

---

[1] tenía miedo de : temía   [2] al pescuezo : al cuello   [3] ¡ Qué bueno está ese polvo ...! : ¡ Qué magnífico está ese polvo ...!   [4] en el lomo : encima   [5] ¡ Ay, Dios mío! : ¡ Cielos!   [6] aterrado : con horror

ponerse a llorar otra vez el niño cuando se acordó del consejo de su padre. En vez de llorar empezó a gritar:

— ¡ Necesidad ! ¡ Necesidad ! Haga usted el favor de venir a levantar este burro.

5 El chico miraba hacia todas partes para ver si llegaba la Necesidad, pero nadie venía. Cansado de llamar y de esperar a la Necesidad, desató las correas que sujetaban los sacos de harina. El animal al verse sin la carga se levantó muy pronto. Entonces el chico lo tomó de la
10 rienda, lo llevó hasta la orilla del río por una bajada, e hizo rodar los sacos por ella. Ya abajo, se los colocó de nuevo encima, ató las correas y se montó sobre el animal. El burro continuó su camino muy contento con el corto descanso que había tenido. Una hora después volvía el
15 chico al molino, cantando muy alegre.

— ¡ Hola, hijo ! — dijo el padre. — ¿ Qué tal el viaje ?

— Malo, padre, pues el burro se echó en el suelo. Le di muchos golpes, pero no quiso levantarse.

— ¿ Qué hiciste entonces ? ¿ Qué pasó ?

20 — Le quité la carga, lo llevé hasta la orilla del río e hice rodar los sacos por la bajada.

— Ya comprendo. Quieres decir que llamaste a la Necesidad.

— La llamé muchas veces, pero no vino.

25 — Te equivocas, hijo, pues quien te levantó y cargó el burro de nuevo fue la Necesidad.

Tenía razón Roberto, y yo también la tengo cuando digo que la Necesidad da mucha ayuda al hombre. No sé cómo no le han hecho todavía una gran estatua.

IDIOMS

a) *no tener más . . . que*	to have only
b) *reírse de*	to laugh at
c) *No tengas cuidado.* = *Pierde cuidado.*	Don't worry.

WORD STUDY

What English words and meaning do you recognize from *el saco, el problema, comprender, exclamar, la distancia, contento, la hora, la estatua?* Find more words of the same kind in the text.

COMPREHENSION

I. Verbs — Complete the following sentences in the present, past and future with the suitable verb form between parentheses:
   1. Roberto sólo (tener) un hijo de diez años.
   2. Su mujer (cuidar) el molino.
   3. Alguien me (ayudar).
   4. Los vecinos no (comprender) a Roberto.
   5. Roberto (poner) unos sacos de harina sobre el burro.
   6. El hombre y su hijo (vivir) en un pueblo de España.
   7. ¿ Quién de los vecinos (ir) a ayudar a su hijo ?
   8. El burro no (poder) soltar esos sacos pesados.
   9. El muchacho (empezar) a dar golpes al burro.
   10. El pobre animal (tratar) de levantarse.

II. Sentence Formation — Combine different parts of the model sentences to form six different others:

1. Yo sé que	Roberto tiene un hijo de diez años.
2. Sabemos que	no se gana mucho en un pueblo.
3. Él sabía que	los vecinos no lo ayudarían.
4. Usted sabrá que	el padre no puede pagar una sirvienta.
5. Ellos no supieron	quien iba a cuidar el molino.
6. Nadie supo que	iban a pasar por aquel pueblo.

AURAL–ORAL PRACTICE

PREGUNTAS   1. ¿ Cuántos años tenía el hijo de Roberto ?   2. ¿ Qué miembro de la familia murió ?   3. ¿ Qué hacía la esposa de Roberto ?   4. ¿ A dónde llevaba Roberto los sacos de harina ? 5. ¿ Por qué no podía tener sirvientes ?   6. ¿ Quién iba a ayudarlo ? 7. ¿ A dónde iba a llevar su hijo los sacos de harina un día ?

8. ¿Quién iba a ayudar al muchacho, según el padre? 9. Al ver el polvo, ¿qué hizo el burro? 10. ¿Quién hizo caminar al burro? 11. Cuando volvió el chico, ¿qué le preguntó su padre? 12. ¿Quién había ayudado al hijo, según el padre?

13. ¿Ayuda usted a sus padres? 14. ¿Ayuda más a su padre o a su madre? 15. ¿Quiénes son algunos miembros (hermanos, hermanas, tíos, tías, primos, primas) de su familia? 16. ¿Tiene usted parientes que viven en un pueblo? 17. ¿Cómo se llaman algunos de sus parientes?

ORAL COMPOSITION — Translate orally into Spanish:

I spent last summer in a small Spanish town. I liked it very much. The town is Potes, in the north. I spoke Spanish to the people. They told me many interesting things about that part of Spain. How interesting it is to live in a town where Spanish is heard all day!

Dicha segura

S. y J. ÁLVAREZ QUINTERO

Una tarde paseaba yo por el campo. A la orilla de un camino, vi una linda casa muy pequeña. Era tan blanca como la nieve y tan alegre como la primavera. Sobre su techo volaban contentas las palomas. La soledad del lugar era completa. « Aquí son felices » pensé. Y entré 5 en la casa con la excusa de pedir un poco de agua. Me recibió un hombre de aspecto fuerte y agradable.

— Siéntese y descanse un momento — me dijo.

Bebí el agua que me sirvió, limpia, fresca y pura como la felicidad que allí se sentía. Admiré la frescura y lim- 10 pieza del agua y él me dijo con orgullo:

— Yo mismo la traigo de la fuente.

— ¿ De qué vive usted ? [1] — me atreví a preguntarle.

— De lo que producen las tierras que rodean esta casa. Yo mismo las trabajo. 15

— Y, ¿ vive usted solo ?

— ¿ Solo ? No. Solo no se puede vivir, se fastidia uno.[2] Y como no me gusta aburrirme busqué una compañera. ¡ Y la encontré !

— ¿ Es muy buena su esposa ? 20

— Muy buena. La escogí yo mismo.

— ¿ Es también bonita ?

— Muy bonita. Yo la escogí.

— ¿ Tiene usted hijos ?

---

[1] ¿ De qué vive usted ? : ¿ Cómo se gana la vida ?   [2] se fastidia uno : se cansa, se aburre

— Uno que parece una flor.

— ¡ Ése no lo habrá escogido usted ! [1]

— Oiga, señor, los niños nacen según el cariño que se tienen sus padres. [2] Los que se casan para estar siempre riñendo no pueden tener hijos bonitos. Tienen que ser flacos y feos. Pero cuando los padres se quieren mucho los hijos son lindos. Mi esposa vive sólo para mí, porque sabe que yo la quiero muchísimo. Sabe que me dejaría matar por evitarle una pena. [3] Por eso tenemos ese chico, que es un ángel.

Aquel hombre no quería ver en su felicidad más obra que la suya. [4] Admiré sus flores y me dijo:

— Verdad es que están muy bonitas. Son así porque las cuido yo mismo.

— Serían iguales — repliqué — cuidadas por otro.

— Para mí, no — me contestó sonriendo.

— ¿ Y esos árboles y esta casa ?

— Los planté yo mismo, y la casa es mía. Yo mismo la hice.

Sus flores, su huerto, sus amores, su casa . . . ¡ Todo ! Todo era fruto de su voluntad, de su inteligencia, de su trabajo y de su corazón.

Continué mi camino. En el cielo brillaban ya las estrellas y una muy brillante delante de la casa. En el campo se oían los ruidos de la noche, llenos de calma y de misterio.

Yo caminaba hacia la ciudad como soñando despierto. Soñaba con [a] una casa blanca y pequeña como la que acababa de ver. [b] Una casa alegre, toda llena de flores y de alegría, de la que yo podría tener la fortuna de decir: « Es mía, la hice yo mismo ».

---

[1] ¡ Ése no lo habrá escogido usted ! : Ése no lo ha escogido usted. [2] según el cariño que se tienen sus padres : dependiendo del amor que sus padres se tienen [3] por evitarle una pena : para no causarle pena [4] más obra que la suya · más que lo que él hacía

IDIOMS

a) *soñar con*   to dream of
b) *Acabo de ver.*   I have just seen.
   Acababa de ver.   I had just seen.

WORD STUDY

I. What English words and meaning do you recognize from *el aspecto, agradable, servir, fresco, admirar, producir, la compañera, la flor, plantar*? Find more words of the same kind in the text.

II. Match the meaning of the words in the first group with those of the second:
el camino, pasear, la nieve, la primavera, el lugar, limpio, atreverse, escoger, parecer, feo
place, to dare, clean, road, to appear, snow, to stroll, ugly, spring, to choose

COMPREHENSION

I. State whether the following sentences are true or false:
   1. En esta casa no son felices.
   2. Yo mismo traigo el agua de la fuente.
   3. La esposa de aquel hombre no era buena.
   4. La casa era tan blanca como la nieve.
   5. Tiene un hijo que parece una flor.
   6. Vivo de lo que produce la tierra.
   7. No bebí el agua que me sirvió.
   8. Él no había hecho su casa.
   9. Aquella noche no brillaban las estrellas.
   10. Su esposa vivía sólo para él.

II. Series — Recite these series in the past and future.
   a) 1. Me paseo por el campo.
      2. Veo una linda casa.
      3. Entro en la casa para pedir un poco de agua.
      4. Un hombre de aspecto agradable me recibe.
   b) 1. El hombre me sirve agua fresca.
      2. Él trae el agua de la fuente.
      3. Vive de lo que producen las tierras.

4. Tiene una esposa y un hijo.
5. Pasa su vida en una casa ideal.

AURAL–ORAL PRACTICE

PREGUNTAS 1. ¿ Por dónde paseaba el hombre ? 2. ¿ Qué vio a la orilla del camino ? 3. ¿ Con qué excusa entró en la casa ? 4. ¿ Quién lo recibió ? 5. ¿ Qué admiró del agua ? 6. ¿ Qué dijo el hombre de su mujer ? ¿ de su hijo ? ¿ de sus flores ? ¿ de su casa ? 7. ¿ Hacia dónde continuó su camino ? 8. ¿ Con qué soñaba ? 9. ¿ Qué fortuna quería tener ?

10. ¿ Cuándo le gusta pasear por el campo, en verano o en invierno ? 11. ¿ Cuántas personas hay en su familia ? 12. ¿ Se quieren mucho los miembros de su familia ? 13. ¿ Le gusta hacer las cosas sólo por sí mismo ? 14. ¿ Sueña con tener usted una casa en el campo ?

El oso
que quería
jugar

JACINTO BENAVENTE [1]

La colección de fieras [2] de unos gitanos iba de pueblo en pueblo. Visitaban todos los lugares donde había feria. Andaban en carros muy pesados, arrastrados por mulas y caballos viejos y hasta por un burro flaco,[3] que creía que él solo arrastraba el carro.

El conjunto de hombres y animales causaba admiración entre los sencillos habitantes de los pueblos. Había varios hombres y tres mujeres en la tribu. Los chicos eran

5

---

[1] Jacinto Benavente (1866–1954), célebre autor dramático español   [2] la colección de fieras : los animales salvajes   [3] flaco : delgado, débil

muchos; y se oían sus llantos [1] por encima de los rugidos [2]
de los leones, tigres y panteras y el ruido de los carros.
Las fieras de la colección eran una docena. Pero había
que contar [a] una mula enana,[3] de rayas blancas, que hacía
5 el papel de [b] cebra, y al hombre más viejo de la banda, que
representaba un oso blanco. Para ello usaba unas pieles
de oveja y una cabeza de cartón. Los leones eran dos y muy
flacos. Daban una triste idea del rey de los animales.
Lo mejor de la colección era un oso pardo. Mas no
10 parecía un oso; parecía más bien un senador con abrigo de
pieles. Era un buen oso. Al pararse la gente frente a su
jaula, se ponía a bailar. Era en verdad el payaso de la
compañía.
Una vez llegaron a la feria de un pueblo muy bonito.
15 Instalaron su tienda en un bosque al pie de unas montañas.
Las tablas viejas que cerraban su jaula permitían al oso
ver desde ella la alegría del campo, los árboles y las montañas. Veía también la animación de la feria y el ir y
venir de la gente. Esto para él era un gran placer, pues al
20 oso le gustaban mucho los niños.
Pero lo que más le gustaba al oso era una tienda de dulces
que había allí cerca. Miraba todo el tiempo bombones y
caramelos y unos pasteles de crema. Aquello lo atraía.
Pensando en [c] los dulces, el pobre oso lamía y relamía [4]
25 las tablas de su jaula y hasta le parecía dulce la madera.
Así pasaba los días el pobre oso. Y tanto lamió las
tablas de su jaula que una se rompió. Un día, al poner
sobre ella sus patas [5] la sintió floja. « ¡ Ah ! » pensó el
oso. « ¿ Podré pasar la cabeza por ahí ? » Trató de
30 hacerlo, pero su cabeza era muy grande. De pronto, ¡ qué
felicidad ! se vio libre, sin saber cómo. Se halló en el

---

[1] se oían sus llantos : se oía el llorar   [2] los rugidos : el ruido   [3] enana : muy
pequeña   [4] relamía : lamía las tablas muchas veces   [5] las patas : los pies y las
piernas del oso

campo, a dos pasos de la tienda de dulces. Se encontró
entre la gente y entre los niños que jugaban contentos.

El oso se sintió muy feliz y empezó a bailar con entusiasmo. Daba unos gruñidos [1] que a él le parecían muy
armoniosos. Pero, de repente,[d] oyó gritos de espanto a   5
su alrededor. La gente huía aterrada. Los hombres y
las mujeres cogían a los niños en sus brazos y corrían;
otros hasta se olvidaron de [e] sus hijos en su miedo.

« ¿ Por qué se asustan ? » se preguntaba el oso. « Yo creía
que iban a divertirse mucho conmigo. ¿ Qué les pasa ? »   10

Luego vio llegar hacia él unos hombres terribles. Traían
armas, sables y escopetas. El oso, de un salto, se acercó a
su jaula. Vio llegar a los hombres y pensó en defenderse.
Pero no le dieron tiempo: sonó una descarga.[2] El pobre
oso cayó al suelo lleno de heridas. Cayó de espaldas [3] y   15
pudo mirar al cielo azul. Al morir pensaba el pobre oso:

« ¡ Qué poco [4] saben los hombres ! Han creído que soy
un animal salvaje. Han pensado que quería hacerles daño.[f]
¡ Y yo sólo quería rodar en la hierba, comer dulces y jugar
con los niños ! »   20

IDIOMS

a) *había que contar =*   one had to count
   hay que contar   one has to count
b) *hacer el papel de*   to play the role *or* part of
c) *pensar en*   to think of
d) *de repente = de pronto* suddenly, all of a sudden
e) *olvidarse de alguien*   to forget somebody
f) *hacer daño a alguien*   to hurt *or* harm somebody

WORD STUDY

What English words and meaning do you recognize from *la
colección, el habitante, la tribu, representar, la montaña, la crema,
armonioso*? Find more words of the same kind in the text.

[1] daba unos gruñidos : producía sonidos del oso   [2] la descarga : el tiro   [3] de
espaldas : hacia atrás   [4] qué poco : muy poco

COMPREHENSION

I. Fill the blanks of the following sentences. What is the meaning of these sentences in English?
1. Unos gitanos visitaban — donde había feria. 2. Los animales causaban admiración entre — de los pueblos. 3. La colección de las fieras era —. 4. Lo mejor de la colección —. 5. Los gitanos pusieron su tienda al pie —. 6. Al oso pardo le gustaban mucho —. 7. El oso se sintió feliz y empezó a —. 8. Los hombres y las mujeres cogían a —. 9. El pobre oso cayó al —. 10. Él sólo quería jugar —.

II. Verbs — Write the following sentences completely in Spanish:
1. Sólo *I want to play* con los niños. 2. La compañía *was visiting* un pueblo. 3. El león *was* el rey de los animales. 4. Los niños *will play* en la hierba. 5. El oso *heard* los gritos de todos. 6. *There were* varios hombres y mujeres allí. 7. A las ferias *arrive* mucha gente. 8. Al oso le *liked* la tienda de dulces.

AURAL–ORAL PRACTICE

PREGUNTAS 1. ¿ Qué lugares visitaban los gitanos? 2. ¿ Qué animales arrastraban los carros pesados? 3. ¿ Cuáles eran algunas fieras de la colección? 4. ¿ Cuál era la mejor fiera de la colección? 5. ¿ Dónde llegó la compañía una vez? 6. ¿ Qué veía el oso desde su jaula? 7. ¿ Qué le gustaba más al oso? 8. ¿ Qué miraba todo el tiempo? 9. ¿ Dónde se vio libre? 10. ¿ Qué oyó de repente? 11. ¿ A quién vio llegar? 12. Al morir, ¿ qué pensaba el oso?

13. ¿ Le gusta ir a las ferias? 14. ¿ Por qué va la gente a las ferias? 15. ¿ Se divierte la gente allí? 16. ¿ Hay mucha o poca gente en una feria? 17. ¿ Qué animales se ven en una feria?

ORAL COMPOSITION — Recite three connected sentences in Spanish on *My Visit to the Fair*.
1. Did you go alone? 2. What kind of people did you see? 3. Why did you like the brown bear?

El tesoro

WASHINGTON IRVING [1]

Hace largo tiempo,[2] vivía en Granada un albañil [3] muy pobre, pero muy bueno y muy devoto. Sin embargo estaba cada día más pobre. Aunque trabajaba mucho, ganaba muy poco, y tenía una familia numerosa que mantener.

Una noche dormía profundamente cuando lo despertó un golpe en la puerta de su casa. Al abrirla se encontró con [a] un cura. Era muy alto y flaco. Parecía un cadáver.[4]

— Oiga, usted, — le dijo el cura — sé que usted es un hombre honrado y que puedo confiar en usted. ¿Quiere hacerme un trabajo esta misma noche?

— Sí, señor cura, si recibo buen pago.

— Le pagaré bien, no tenga cuidado. Pero debo vendarle los ojos.[5]

El albañil aceptó, sin vacilar, la extraña condición. Fue

[1] Washington Irving (1783-1859), historiador y cuentista norteamericano, autor de *Cuentos de la Alhambra*   [2] hace largo tiempo : hace mucho tiempo   [3] el albañil : persona que construye casas con piedras o ladrillos   [4] el cadáver : cuerpo muerto   [5] vendarle los ojos : cubrirle los ojos

llevado por varias calles hasta la puerta de una casa. El cura la abrió haciendo mucho ruido. Después de entrar pasaron por un corredor y una sala hasta un patio del interior de la casa.

5 En el centro había una antigua fuente mora seca.

— Tiene usted que construir una bóveda debajo de esa fuente — dijo el cura.

Allí había los materiales necesarios para el trabajo. El albañil pasó toda la noche trabajando, pero no pudo ter-
10 minar. Poco antes de salir el sol, el cura le dijo:

— No trabaje usted más, buen hombre. Aquí tiene usted su pago.

Y le entregó una moneda de oro. Luego le volvió a vendar los ojos y lo condujo a su casa. Al llegar le preguntó:
15 — ¿Quiere usted terminar el trabajo?

— Con mucho gusto, señor cura, si usted me paga tan bien como ahora.

— Así lo haré. Lo vendré a buscar [1] esta noche a las doce.

20 Después de trabajar varias horas quedó terminada la bóveda.

— Ayúdeme a traer los cuerpos que debo enterrar [2] aquí.

El pobre albañil tembló de miedo al oír estas palabras. Creyó que se trataba de [3] cadáveres, mas luego vio con sor-
25 presa que eran sólo seis grandes ollas de barro. Debían de ser monedas, porque pesaban mucho. Con gran dificultad las llevaron entre los dos al patio donde las enterraron en la bóveda. Luego arreglaron el suelo para no dejar señales.

Por cuarta vez le vendó el cura los ojos al albañil; pero
30 lo dejó lejos de su casa. Durante dos semanas el albañil y su familia vivieron muy bien; pero luego volvió a quedar

---

[1] Lo vendré a buscar. : Vendré a su casa.   [2] enterrar : poner bajo tierra   [3] se trataba de : iban a ser

tan pobre como antes, trabajando mucho y ganando muy poco.

Estaba una tarde sentado a la puerta de su casa, cuando se le presentó [1] un viejo muy rico de la ciudad. Tenía muchas casas y era conocido como avaro y muy exacto en el cobro de sus alquileres.

Miró fijamente al albañil y le dijo:

— Me han dicho, buen hombre, que es usted muy pobre, que gana muy poco y que tiene una familia numerosa.

— Sí, es verdad, señor. No lo han informado mal.

— Entonces creo que estará usted contento de trabajar y lo hará barato.

— ¡ Claro que sí ! [2] Lo haré más barato que ningún otro albañil de Granada. ¿ Qué trabajo es ?

— Es en una casa muy vieja que tengo. Se está cayendo y me cuesta mucho componerla. Pero si no la arreglo pronto se vendrá abajo. Vamos a verla.[3]

El viejo condujo al albañil a una inmensa casa en verdad muy vieja y en muy mal estado. Pasaron por varios cuartos vacíos y entraron en un patio interior. En el centro había una antigua fuente mora seca. Al momento [4] se fijó en [b] ella el albañil y le llamó mucho la atención.[c] Vinieron a su imaginación sus dos noches de trabajo y se preguntó: « ¿ Sería aquí [5] donde hice la bóveda ? »

Le parecía haber estado antes en la casa, pero no estaba aún seguro.

— Señor, ¿ quién vivía en esta casa ? — preguntó.

— ¡ Un cura viejo y miserable ! — exclamó el avaro con ira.

Todos decían que era muy rico, pero al morir sólo dejó unas cuantas monedas en una bolsa de cuero. Lo peor de

---

[1] se le presentó : apareció ante él [2] ¡ Claro que sí ! : ¡ Sí, sí, es verdad ! [3] Vamos a verla. : Veámosla. [4] al momento : inmediatamente [5] ¿ Sería aquí . . . ? : ¿ No es aquí . . . ?

todo es que desde su muerte nadie quiere vivir aquí. Dicen
que se oyen quejas y lamentos y el sonido de monedas de
oro. Verdad o mentira, el caso es que nadie quiere vivir
en esta casa. Los pocos que la alquilaron no se quedaron
5 en ella más que dos días.

— Yo no creo en fantasmas [1] — dijo el albañil. — Dé-
jeme vivir aquí hasta tener mejor inquilino. Yo no le
pagaré nada, pero en cambio haré todas las reparaciones
gratis. Soy muy buen cristiano y no tengo miedo ni al
10 diablo.

El avaro aceptó la proposición muy satisfecho. El albañil se mudó a la casa con su familia, y con su acostum-
brada honradez, cumplió su compromiso. Poco a poco,[d]
arregló la casa y ésta volvió a su antiguo estado. El ruido
15 de monedas de oro no se oyó más por la noche en el cuarto
del viejo cura, pero empezó a oírse durante el día en los
bolsillos del albañil. Éste se hizo rico muy pronto, con
mucha sorpresa de los vecinos. Llegó a ser [e] uno de los
hombres más ricos de Granada. Dio grandes sumas de
20 dinero a la iglesia, sin duda para satisfacer su conciencia.
Nunca dijo a nadie el secreto de su fortuna. Solamente
cuando iba a morirse se lo comunicó a su único hijo.

IDIOMS

a) *encontrarse con*   to meet (with), encounter
b) *fijarse en*   to notice
c) *llamar la atención a*   to attract one's attention
d) *poco a poco*   little by little, gradually
e) *llegar a ser*   to become

WORD STUDY

What English words and meaning do you recognize from *devoto,
construir, la dificultad, informar, el lamento, satisfecho, la suma?*
Find more words of the same kind in the text.

---

[1] el fantasma : el espectro, la aparición

COMPREHENSION

Sentence Formation — Form complete sentences with each group of words:
1. Granada muy vivía un pobre en albañil.
2. pero siempre mucho poco ganaba trabajaba.
3. alguien una despertó noche lo.
4. la a alto al puerta cura flaco abrir vio y un.
5. tenía una albañil construir bóveda el que.
6. dos un rico después semanas viejo de muy apareció.
7. condujo a vieja el al casa viejo una albañil.
8. casa lamentos aquella oían en se.
9. pobre hizo el pronto rico albañil se.
10. dijo nadie secreto su nunca fortuna a el de.

AURAL–ORAL PRACTICE

PREGUNTAS 1. ¿Quién vivía en Granada hace largo tiempo? 2. ¿Quién llamó a la puerta? 3. Si el albañil aceptaba, ¿qué iba a hacer el cura? 4. ¿Hasta dónde llevó el cura al albañil? 5. ¿Qué había en el centro del patio? 6. ¿Qué debía construir el albañil? 7. ¿Cuándo quedó terminada la bóveda? 8. ¿Qué pusieron el cura y el albañil en la boveda? 9. Después de dos semanas ¿quién se presentó al albañil? 10. ¿Qué debía arreglar el albañil? 11. ¿A dónde fueron los dos? 12. ¿Qué vino a la imaginación del albañil? 13. ¿Quién había vivido en aquella casa? 14. ¿Qué iba a hacer el albañil? 15. ¿Cuándo se oía el ruido de monedas de oro? 16. ¿A quién dijo solamente el secreto de su fortuna?

17. ¿Le gusta esta clase de cuento? 18. ¿Quién es el autor de este cuento? 19. ¿Le gustaría leer más cuentos de este autor? 20. ¿Ha leído usted otros libros del mismo autor? 21. ¿Sabe usted cuántos años vivieron los moros en España?

ORAL COMPOSITION — Let several pupils develop a short composition on:
1. Una casa con fantasmas. 2. Cómo llegó a ser rico mi padre.

El mejor enfermero

ENRIQUE MENÉNDEZ Y PELAYO [1]

— No está peor — dijo el médico al salir. — Si puede
dormir hoy, todo irá bien. Pero si duerme, nada debe
despertarlo. No debe permitirlo. ¿ Lo oye usted bien ?

¡ Preguntar a un padre si oía bien la orden de cómo sal-
5 var de la muerte a su hijo !

¡ Qué enfermo [2] había estado el niño ! Varias veces
había creído el padre que se le moría entre las manos; que
del pequeño cuerpo flaco salía ya el alma para ir a reunirse
con su madre. Ella debía andar por el cielo, o bien cerca, [3]
10 desde hacía ya dos años. [4]

Muy malo había estado el niño. Para cuidarlo no había
sino su padre, y éste tenía que salir a trabajar todos los
días. Por fortuna, [5] el amo de la fábrica le había dejado
libre por las tardes. Con eso y con la caridad de algunas
15 vecinas, tenía arreglada la asistencia del niño. [6]

La tarde pasó, más o menos, como las anteriores. La
criatura no podía dormirse. Parecía que algo se lo im-
pedía. Cambiaba de posición [a] a cada momento. Movía
continuamente la cabeza y pedía agua, con una voz tan
20 débil que apenas se oía.

---

[1] Enrique Menéndez y Pelayo (1861–1921), poeta y novelista español.   [2] ¡ qué
enfermo ! : ¡ muy enfermo !   [3] o bien cerca : o muy cerca   [4] desde hacía ya dos
años : por los últimos dos años   [5] por fortuna : felizmente   [6] tenía arreglada
la asistencia del niño : había arreglado el asunto y así el niño nunca estaba solo

El padre le daba agua, lo cubría y le hablaba muy bajo.
Pero el tirano [1] sueño no parecía querer entrar en aquella
casa.

Llegaron las primeras horas de la noche. El cuarto
estaba cada vez más oscuro y silencioso. Pero aun así el [5]
sueño que tenía en sus manos la preciosa salud de su hijo
no llegaba.

Pero al fin llegó. Dios había oído sin duda las súplicas [2]
del triste padre. Tuvo el sueño que obedecer la orden de
Quien podía más que él. ¡ Qué alegría la del pobre hombre [10]
cuando se convenció de que su hijo dormía ! Escuchaba con
ansia [3] su respiración lenta y medida. ¡ Dormía, dormía
por fin ! ¡ Y el médico había dicho que si dormía se pondría
bueno !

Su niño era, después de la voluntad de Dios, la única [15]
razón que tenía aquel hombre para vivir. Así es muy
fácil figurarse el cuidado con que protegía el tan esperado
sueño. No se atrevía ni a respirar casi, pues su respiración podía hacer ruido.

Pasaron tres horas y el niño seguía durmiendo. Dio la [20]
una en el reloj de la iglesia. Casi al mismo tiempo oyó
el buen hombre que alguien trataba de abrir la puerta.
¿ Quién podía ser tan tarde ? Pero la persona parecía no
querer hacer ruido, y abría la puerta lentamente. Mucho
agradecía el padre tanto cuidado por el niño enfermo. Sus [25]
ojos acostumbrados a la poca claridad del cuarto vieron la
forma de un hombre. Éste no se dirigió hacia donde él
estaba sino al otro lado del cuarto donde había una cómoda
muy vieja. No podía haber duda de [4] la intención del
visitante. [30]

En aquella cómoda, en el cajón de abajo, dentro de una
vieja cartera, guardaba el dueño toda su fortuna, unos

---

[1] tirano : cruel   [2] las súplicas : los grandes deseos   [3] con ansia . con temor
[4] no podía haber duda de : era muy clara

cuantos billetes de banco que, real a real,[1] había ido apartando [2] cada día, durante varios años. Mas aun así nunca
había podido completar quinientas pesetas.

    El padre se arrojó sobre el ladrón con todo cuidado y en
5 silencio, como un gato y lo cogió por el cuello de la chaqueta. Podía ahogarlo en defensa de lo suyo. Pero lo
suyo, lo importante en aquel momento, no era el dinero
sino el sueño de su hijo enfermo. Y tembló de miedo,
pues si luchaba con él produciría ruido. Únicamente [b]
10 trató de engañar al ladrón.

    — No tengo más que [b] esto — dijo sacando del bolsillo
unas cuantas pesetas.

    Pero el mal hombre sabía bien lo que quería.

    — No, quiero lo que tiene en la cómoda — contestó con
15 tono resuelto.

    — ¡ Calle ! No hable tan alto[3] — replicó el padre en
voz muy baja. — Calle y tome lo que está buscando.

    Y él mismo le dio el dinero que tenía en la cómoda.

    — No haga ruido al salir — añadió después, en el tono
20 amable con que se habla a un amigo.

IDIOMS

a) *cambiar de posición*	to change position
b) *únicamente = no . . . más que =*	only, solely
solamente = sólo	

WORD STUDY

    I. What English words and meaning do you recognize from
*salvar, reunirse, la voz, oscuro, convencer, proteger, la intención, el
banco, la chaqueta, la defensa*? Find more words of the same
kind in the text.

---

[1] real a real : un real a la vez   [2] había ido apartando : había puesto a un lado
[3] tan alto : tan fuerte

II. Match the following words into synonyms:

MODEL — enfermo — malo

la madre, andar, el niño, el amo, el doctor
el dueño, el médico, la mamá, caminar, el chico

COMPREHENSION

I. Put the following sentences in correct order so that they make
a connected story:
1. Por fin se durmió el niño.
2. Era un ladrón que quería robar el dinero del padre.
3. El niño había estado muy enfermo.
4. No lo hizo porque la salud de su hijo era más importante.
5. Sólo su padre lo cuidaba.
6. El padre había podido ahogarlo.
7. El pobre niño no podía dormirse.
8. Pasaron tres horas y el niño seguía durmiendo.
9. El padre tenía que salir a trabajar.
10. A la una alguien abrió la puerta.

II. Dialogs — Memorize and act out these two short dialogs before the class:
a) El doctor.   — El niño no está peor, pero tiene que dormir.
   El padre.   — Haré todo lo posible, doctor.
   El doctor.   — Si duerme hoy, todo irá mejor.
   El padre.   — Le aseguro que si se duerme, nada lo des-
                  pertará.
b) El padre.   — ¡ Gracias, Dios mío ! ¡ Mi hijo duerme,
   duerme por fin ! (*Se abre la puerta lentamente*). ¿ Quién
   puede ser aquella forma de hombre tan tarde ? (*Es un
   ladrón que se dirige hacia la cómoda. El padre se arroja sobre
   él. Le habla bajo*). No tengo más que estas pocas pesetas.
   Se las doy pero no haga ruido.
   El ladrón. — Quiero lo que tiene en la cómoda.
   El padre. — Bien, tome lo que busca. El dinero está en
   el cajón de abajo. Al salir no haga ruido o le mato. (*El
   ladrón sale*). Para mí lo importante no es el dinero sino
   la salud de mi hijo.

AURAL–ORAL PRACTICE

PREGUNTAS 1. ¿ Qué dijo el médico de la condición del niño ?
2. ¿ Qué había creído el padre ? 3. ¿ Quién lo había cuidado ?
4. ¿ Qué tal había pasado la tarde ? 5. ¿ Qué era lo que no podía
hacer el niño ? 6. ¿ Qué pasó por fin ? 7. Después de tres horas,
¿ quién entró en el cuarto ? 8. ¿ Hacia dónde se dirigió el ladrón ?
9. ¿ Cuántas pesetas había en la cartera ? 10. ¿ Qué dio el padre
al ladrón ?

11. ¿ Ha estado usted enfermo alguna vez ? 12. ¿ Se quedó usted
en casa ? 13. ¿ Cuántos días estuvo usted en casa ? 14. ¿ Cuándo
está usted más enfermo, en verano o en invierno ? 15. ¿ Llama
usted siempre al médico cuando está malo ?

ORAL COMPOSITION — Have the pupils express in Spanish an
opinion on any part of the story.

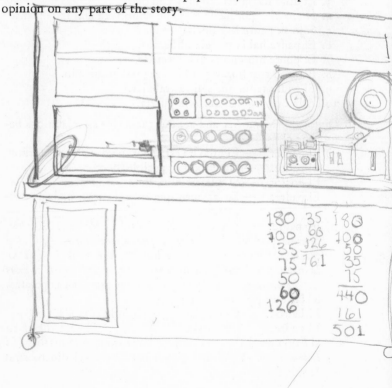

Silvestre Paradox

PÍO BAROJA [1]

Silvestre estudiaba el segundo año en el instituto. Esto le había dado muchas libertades. Había alcanzado el grado de superioridad que permite faltar a las clases tres o cuatro días seguidos.[2]

La vida de Silvestre era un poco salvaje, a pesar de los castigos de maestros y parientes. Andaba siempre en compañía de muchachos malos que pasaban la vida inventando maldades.[3] Silvestre no se quedaba atrás en eso. Rompía los cristales de las ventanas y era siempre el campeón en lo malo. Algunas veces [a] salían los chicos mal en esas aventuras, pero a él no le importaba. Donde había algo malo que hacer estaba siempre Silvestre.

Con su vida al aire libre, siempre corriendo, jugando pelota o montado en los árboles, el chico pasaba el tiempo muy bien. Pero no adelantaba en sus estudios y cuando llegó el mes de junio se examinó y salió muy mal.[b]

Cuando llegó a su casa, tanto su abuela como [c] su tía Rosa y su tío Juan le hicieron el recibimiento que [4] su fracaso en los estudios merecía. Sus tíos le prohibieron salir de casa y lo sometieron a continua vigilancia. Pero no por eso estudiaba ahora más que cuando estaba libre. Un amigo le prestó un ejemplar de *Robinson Crusoe* y dos novelas de Julio Verne. Silvestre tenía esos libros escondi-

---

[1] Pío Baroja (1872–1957), novelista español de obras realistas de gran mérito [2] seguidos : continuos [3] maldades : actos malos [4] le hicieron el recibimiento que : le recibieron como

dos en casa, y en las horas de estudio fijadas por sus tíos
los sacaba y los leía.   Eso daba a los tíos la impresión de
que estudiaba, y los llenaba de tanta satisfacción como sorpresa.   Nunca lo habían visto antes tan aplicado.

5   Se examinó Silvestre de nuevo en septiembre.   Y, cosa
rara, salió bien,[d] aunque sabía menos que en junio.   Durante el curso siguiente tuvo un poco más de libertad para
salir.   Pero no andaba con los compañeros de antes, no
porque se sentía superior a ellos, sino para poder pensar
10 mejor en [e] sus héroes y proyectar aventuras.   Por las tardes
se subía a un árbol.   Allí se figuraba estar en las islas fan-
tásticas y en los espléndidos dominios descritos por la
fantasía de sus autores favoritos.

Metióse [1] el joven en varias aventuras y salió mal en
15 todas ellas.   Mas pensó que las dificultades son accidentes
naturales que ocurren a todos los aventureros.   Silvestre,
pues, no perdió el ánimo por eso,[2] al contrario decidió prepararse para mayores cosas.   Compró un cuaderno grande y
puso en la cubierta [3] en grandes letras: DIARIO DE MI
20 VIDA.   Allí iba a escribir un relato que sería la admiración
del mundo entero y pasaría a la historia.

Dibujó muchos planos de la casa que pensaba construir [e]
al llegar a algún país no explorado todavía de América o
de Oceanía.   Luego hizo una verdadera escuadra de buques
25 de madera, cartón y papel, todos ellos con nombres altisonantes: [4] Nautilus, Astrolabio, Capitán Cook, etc.

Por desgracia el tío no tenía el mismo respeto por las
construcciones de su sobrino.   Un día cogió los barcos,
los planos, las recetas para fabricación de cosas muy im-
30 portantes y todo lo rompió.   Así destruyó su tío para
siempre los sueños y proyectos de aquel nuevo *Robinson
Crusoe*.

---

[1] metióse : tomó parte   [2] por eso : por esa razón   [3] la cubierta : la parte exterior
de un libro o cuaderno   [4] altisonantes : muy sonoros

IDIOMS

a) *algunas veces = a veces = de vez en cuando*   from time to time, at times, sometimes
b) *salir mal*   to fail
c) *tanto . . . como . . .*   both . . . as well as . . .
d) *salir bien del (en el) examen*   to pass the examination
e) *pensar en; pensar* + inf.   to think of; to intend + *inf.*

WORD STUDY

I. What English words and meaning do you recognize from *la libertad, inventar, el campeón, prohibir, continuo, el compañero, espléndido, el proyecto*? Find more words of the same kind in the text.

II. Give a few new words you have learned from the text, and use them in short original sentences.

COMPREHENSION

Tell whether the following sentences are true or false. Correct every sentence which is false:

1. Silvestre no estudiaba en el instituto.
2. Su vida era un poco salvaje.
3. Andaba siempre con muchachos malos.
4. Donde había algo bueno que hacer allí estaba Silvestre.
5. Pasaba su vida al aire libre.
6. Silvestre se examinó en junio y salió muy mal.
7. Sus tíos le prohibieron salir de casa.
8. Su amigo le prestó el libro *Robinson Crusoe*.
9. El joven no salió mal en varias aventuras.
10. El tío tenía el mismo respeto por las construcciones de su sobrino.

AURAL–ORAL PRACTICE

PREGUNTAS 1. ¿Qué año estudiaba Silvestre? 2. ¿Qué libertades le permitía eso? 3. ¿En compañía de qué muchachos andaba siempre? 4. ¿Por qué salió muy mal en junio? 5. ¿Qué

[handwritten:]
1) Silvestre estudiaba el segundo año.
2) Le había dado muchas libertades
3) Siempre andaba en compañía de muchachos malos
4) No adelantaba en sus estudios.

le prohibieron sus tíos? 6. ¿Qué le prestó uno de sus amigos? 7. ¿Qué impresión recibieron sus tíos? 8. ¿Qué tal salió Silvestre en septiembre? 9. ¿Por qué no andaba más con los compañeros de antes? 10. ¿Qué tal salía en todas sus aventuras? 11. ¿Qué escribió en la cubierta del cuaderno? 12. ¿Qué iba a escribir en el cuaderno? 13. ¿Qué hizo el tío con la escuadra de buques? 14. ¿Qué destruyó para siempre?

15. ¿Ha leído usted *Robinson Crusoe*? 16. ¿Sabe usted quién es el autor de ese libro? 17. ¿Qué tal le gustan los libros de aventuras? 18. ¿Tiene usted algún compañero como Silvestre? 19. ¿Escogería usted un muchacho como Silvestre por compañero suyo?

ORAL COMPOSITION — Make a few short statements in Spanish about:
a) Silvestre   b) his companions   c) a poor student   d) his examinations   e) his plans   f) his uncle

(5) Prohibieron salir de casa
(6) Le prestó un ejemplar de Robinson Crusoe
(7) Recibieron la impresión de que estudiaba.
(8) Salió bien.
(8) Porque pensar mejor en sus héroes

La cena
de Cristo

EMILIA PARDO BAZÁN [1]

Tomás era un hombre lleno de fe y creía todo lo que
la religión enseña. Sin embargo, siempre estaba triste.
Pensaba que el cielo estaba muy lejos de la tierra; que
nuestros suspiros y nuestras quejas tardan mucho en llegar
a Dios. No dudaba del Señor, pero su idea fija era ponerse 5
en comunicación directa con Él.

Pensando que un convento está más cerca del cielo que
la sociedad, entró en un monasterio. Allí con el fervor
de su vida asombró a sus hermanos. Estaban éstos acostumbrados a torturas y sacrificios, pero los que hacía 10
Tomás eran excesivos. Sorprendían hasta a sus más viejos
compañeros, verdaderos expertos en la penitencia. Pero
todo fue en vano. Tomás no pudo realizar su deseo de ver
a Dios cara a cara, y al fin salió muy triste del convento.

Volvió a su casa y empezó una vida modesta y activa. 15
Principió a hacer negocios que le prometían buenos resul-
tados y luego tomó un socio. Éste, aunque tenía fama de
honrado, lo robó y además lo hizo aparecer como pícaro.
Esto le dolió más que la pérdida de su capital. Tomás
estimaba mucho su honra y su buen nombre, y sufría mucho 20
cuando la gente se apartaba de él, mirándolo con desprecio.
En su corazón nació entonces un odio terrible contra el
que lo había hecho aparecer ladrón, y se despertó en él el
deseo de venganza.

[1] Emilia Pardo Bazán (1852–1921), célebre escritora y crítica española

123

Una noche pasaba Tomás por una calle desierta. De repente, vio a un hombre atacado por otros tres que lo tenían casi muerto. Reconoció Tomás a su antiguo socio, su enemigo. Dudó un instante y pensó marcharse sin prestarle ayuda, pero al fin se quedó. Como iba armado, atacó a los asesinos obligándolos a huir. No pudo darle las gracias su mal amigo, pues Tomás se marchó sin darle tiempo para ello.

Llegaba ya a la puerta de su casa cuando vio a un mendigo. Iba éste sin zapatos, con el traje roto. En voz débil le pidió, no dinero, sino un poco de comida.[1]

— Me muero de hambre — dijo el pobre casi llorando.

Tomás le dio la mano [2] para sostenerlo y le dijo:

— Venga conmigo. Le daré la mitad de mi comida y también donde dormir.

Entraron en la casa y Tomás calentó [3] su modesta cena y sirvió al mendigo. Entonces pudo ver bien su cara y notó, con sorpresa, que el pobre, sentado ya a la mesa, no era viejo ni feo. Tampoco tenía las manos sucias ni maltratadas,[4] como suelen tenerlas los mendigos. Parecía tener unos treinta años; y su pelo rubio y largo era muy bello. Comieron en completo silencio. Pero Tomás sentía una alegría rara que no se explicaba. De repente le pareció dulce la vida. Ya no le parecían duras su pobreza y la carga de su desgracia. Su corazón estaba lleno de gozo y sentía ganas de llorar [a] de felicidad.

Después que terminó de comer, el mendigo tomó el pan que había sobre la mesa, lo partió en dos, y dio la mitad a Tomás. Notó éste entonces que una claridad, apenas visible, rodeaba el rostro del pobre. Al ver esto, Tomás se levantó con un impulso irresistible, y se puso de rodillas [b] ante el mendigo. Besó sus pies y los cubrió de lágrimas.

---

[1] un poco de comida : algo que comer   [2] le dio la mano : le ayudó con la mano
[3] calentó : puso al fuego   [4] maltratadas : duras

212

Comprendió que estaba ante Cristo. Por fin, en tan feliz noche, Cristo se había acercado a él condescendiendo en visitarlo. Se realizaba su sueño de ver el cielo en la tierra.

231

Cristo lo miraba con grandes ojos llenos de ternura y de misterio. Tomás le preguntó con humildad:

5

— ¿ Qué he hecho yo, Señor, para merecer este inmenso honor de tener a Dios en mi casa ?

— Yo siempre estoy en la tierra, — respondió Cristo — siempre ando por las calles. Cada noche quiero comer con el que durante el día ha devuelto bien por mal; con aquel 10 que perdona de todo corazón [1] a un enemigo. Pero no siempre lo encuentro y me quedo sin comer muchas noches. Hoy tú lo has hecho y por eso he venido a comer contigo.

IDIOMS

a) *sentir ganas de llorar*   to feel like crying
b) *ponerse de rodillas*   to kneel down

WORD STUDY

I. What English words and meaning do you recognize from *Tomás, el monasterio, la tortura, modesto, el resultado, sufrir, servir*? Find more words of the same kind in the text.

II. Match the words of the first group with those of the second for their meaning.

Group I.   *la cena, sin embargo, la pérdida, aunque, mirar, quedarse, huir, el mendigo, la comida, entonces, tampoco, la felicidad*

Group II.   to look, neither, although, beggar, happiness, loss, meal, supper, to remain, to flee, nevertheless, then

[1] de todo corazón : con buena voluntad

COMPREHENSION

I. Complete the following sentences with the suitable word in parentheses:
1. Tomás (era, creía, decía) lo que la religión enseña.
2. El hombre siempre (hacía, sufría, estaba) triste.
3. Para estar cerca de Dios (hizo, prometió, entró) en un monasterio.
4. Él no pudo (salir, prometer, ver) a Dios cara a cara.
5. El pobre hombre (llevó, tomó, robó) una vida activa.
6. El socio lo hizo (perder, aparecer, mirar) como ladrón.
7. Su mal amigo quería (darle, prestarle, explicarle) las gracias.
8. Los dos hombres entraron en su (tienda, casa, comida).
9. Su corazón estaba lleno de (silencio, sonrisa, felicidad).
10. No siempre (encuentro, hago, como) al que ha devuelto bien por mal.

II. Verbs — Recite the following sentences entirely in Spanish.
1. Tomás siempre *was* triste. 2. Algunos *entered* cierto monasterio. 3. Sus torturas *used to surprise* a sus compañeros. 4. Al fin *he left* el convento. 5. Nosotros *shall not pass* por aquella calle desierta. 6. *I am dying* de hambre y frío. 7. Le *shall give* la mitad de mi comida. 8. El mendigo *seemed* tener unos treinta años. 9. Después de *eating* se levantó. 10. ¿Qué *have I done* para merecer este honor?

AURAL–ORAL PRACTICE

PREGUNTAS   1. ¿Qué clase de hombre era Tomás? 2. ¿Qué pensaba del cielo? 3. ¿Por qué entró en el convento? 4. ¿Qué torturas y sacrificios hacía? 5. Al salir del convento, ¿con quién hizo negocios? 6. ¿Qué tal lo hizo aparecer su socio? 7. ¿Qué pasó una noche en una calle desierta? 8. Al llegar a su casa, ¿a quién vio? 9. ¿Qué dio Tomás al mendigo? 10. ¿Qué vio al servir al mendigo? 11. Después de comer, ¿qué comprendió? 12. ¿Se realizó el sueño de Tomás?

13. ¿Le gustó el cuento? 14. ¿Conoce usted hombres honrados como Tomás? (Conozco . . .) 15. ¿Hay hombres en el mundo como el socio de Tomás? 16. ¿Es bueno perdonar a nuestros enemigos? 17. ¿Es la conducta de Tomás un buen ejemplo que seguir?

El beso

EUSEBIO BLASCO [1]

En la cárcel de una ciudad española había gente muy mala.   Pero entre todos había uno peor que los demás. Lo llamaban el Lobo.   Tenía sesenta años y había pasado allí los últimos cuarenta.   Era fuerte, a pesar de su edad y de su vida inactiva.   Su mirada feroz [2] causaba espanto, y así el Lobo era el terror de la cárcel, el terror mudo que no se expresa en palabras sino en silencio.   A veces levantaba los ojos para mirar a los otros presos; [3] pero éstos no le hacían caso.   Volvían la espalda o miraban hacia otro lado.

Llegó a la cárcel un nuevo jefe.   Tenía fama de hombre enérgico y severo.   Por esa razón los presos comenzaron a mirarlo con malos ojos.

Tenía el jefe una hija muy linda de seis años llamada Aurora.   Una tarde bajó con su padre al patio a la hora de la comida.   Miró a los presos de uno en uno, [4] con esa franqueza infantil que tanto agrada a los malos.   Comentaba todo lo que veía, y decía palabras amables a los criminales.   A todos hizo preguntas [a] y de este modo [b] se hizo querer [c] por ellos.

Lejos de todos, con su plato a un lado, estaba el Lobo sentado en el suelo.   Padre e hija se acercaron a él pero no se movió.   De su garganta salía una especie de ruido extraño.   Los miró un instante, pero nada más. [5]   La niña quiso acercarse a él, pero su padre la detuvo.

— No debes acercarte a él, hija mía.   Ese hombre es muy

---

[1] Eusebio Blasco (1844-1903), autor dramático y periodista español   [2] feroz : salvaje   [3] los presos : los prisioneros   [4] de uno en uno : uno después de otro
[5] nada más : solamente eso

peligroso. Ha pasado toda su vida en la cárcel. Tiene que servir treinta años más.

— ¡ Treinta años más ! ¡ Pobre hombre !

El Lobo, al oírse llamar pobre hombre, levantó la cabeza y miró a la niña con asombro. Ésta corrió hacia él gritando:

— ¡ Voy a darle un beso !

Y así lo hizo. Llegó junto a la fiera [1] y sin miedo lo besó en la mejilla diciendo:

— ¡ Tome, hombre, y no sea tan malo !

La niña volvió corriendo hacia su padre. El Lobo se quedó como petrificado.

Pasaron varios meses. En la cárcel bien administrada no pasó nada de particular. Pero un día de julio llovía mucho y los presos parecían estar de acuerdo con el tiempo. Estaban rebeldes y se negaron a comer.[d]

El jefe saltó de la cama donde descansaba. Cerró con llave [e] la puerta del cuarto de la niña y bajó al patio. Allí se encontró cara a cara con cuatrocientos hombres armados con cucharas de madera tan afiladas [2] como cuchillos. El jefe trató de calmar a los presos, pero todo fue en vano. Quiso atacar y lo atacaron. Su vida estaba en manos de aquellos criminales medio locos. Lo echaron atrás y le tiraron palos, piedras y todo lo que encontraban a mano.[3] Ya había disparado los seis tiros de su revólver y la batalla estaba perdida. Mas al disparar el último vio venir hacia él un monstruo, un hombre con cabeza de oso. Era el Lobo que gritaba:

— ¡ No tenga cuidado, que aquí estoy yo !

Cogió al jefe por la cintura con el brazo izquierdo y se lo puso a la espalda para cubrirlo con su propio cuerpo. Con la mano derecha atacó a los presos con una enorme

---

[1] la fiera : el animal salvaje   [2] afiladas : que cortaban   [3] a mano : cerca

navaja. De dónde la había sacado nadie lo supo nunca.
Comenzó a dar cuchilladas muy bien dadas. Todo el que [1]
llegaba cerca de él caía muerto de un solo golpe. Esto
pasaba en silencio. El Lobo recibía piedras en la cabeza y
cuchilladas de madera tan graves como de acero. Por fin, [5]
acudió la fuerza armada [2] llamada por los empleados de la
cárcel. Hubo tiros, y muertos, y heridos en todos los rin-
cones. Hora y media después todo quedó en calma. El
jefe estaba sano y salvo [3]; pero el Lobo tenía dos cortadas [4]
en el estómago, y la cabeza llena de heridas. [10]
   Lo llevaron a las habitaciones del jefe por orden de éste.
Allí, acostado en la primera cama blanda que había tenido
en su vida, se moría el Lobo. Miraba a todas partes [5] y
salía de su garganta su ruido habitual. Llamaron a un
cura, pero él le dio una patada cuando se acercó a la cama. [15]
Mas, entre la vida y la muerte, por fin pudo hablar y dijo,
abriendo con ansiedad los ojos:
   — ¡ La . . . niña !
   El jefe comprendió en seguida lo que quería su defensor.
Recordó lo pasado y entendió por qué lo había defendido. [20]
Corrió al cuarto de su hija, a quien no se había acordado
de abrir [f] la puerta. La tomó en sus brazos y volvió con
ella, a toda prisa,[6] al cuarto donde moría el preso. El
Lobo, con ojos de loco, tuvo todavía tiempo de decir, a la
única amiga que había encontrado en su vida: [25]
   — ¡ Otro ! . . . ¡ Otro !
   El padre levantó a la niña. Se oyó el ruido de un beso.
Había sido puesto por labios de ángel en el rostro del viejo
criminal. El cura se marchó, después de dar su bendición
al muerto; quedaron allí de rodillas, en profundo silencio [30]
ante el cadáver del Lobo, el jefe, los empleados y el médico.

---

[1] todo el que : cada persona que   [2] la fuerza armada : un grupo de soldados
armados   [3] sano y salvo : bien y sin heridas   [4] cortadas : cuchilladas   [5] a todas
partes : a todos lados   [6] a toda prisa : con la mayor prisa

Y la niña, a una señal de su padre, comenzó a decir con su voz infantil:

— « Padre nuestro que estás en los cielos . . . ».

IDIOMS

a) *hacer preguntas*	to ask questions
b) *de este modo = de esta manera*	in this way
c) *hacerse querer*	to make oneself liked *or* loved
d) *negarse a comer*	to refuse to eat
e) *cerrar con llave la puerta*	to lock the door
f) *acordarse de abrir*	to remember to open

WORD STUDY

I. What English words and meaning do you recognize from *severo, el instante, armado, atacar, la batalla, enorme, defender, profundo*? Find more words of the same kind in the text.

II. Match the following words into synonyms and opposites:
   a) SYNONYMS — comenzar, lindo, el instante, junto a, encontrar, la batalla

   cerca de, hallar, la lucha, bonito, el momento, principiar

   b) OPPOSITES — fuerte, nuevo, la pregunta, nada, mucho, cerrar

   la respuesta, abrir, todo, viejo, débil, poco

COMPREHENSION

Recite the Spanish equivalent for the following sentences:
1. In Spanish prisons there were some bad men. 2. The Wolf was the terror of the prison. 3. The warden's (el jefe) daughter was six years old. 4. She gave the old criminal a kiss. 5. Later the Wolf protected Aurora's father. 6. He died to save the warden.

AURAL–ORAL PRACTICE

PREGUNTAS 1. ¿ Quién era el peor de todos en la cárcel ?
2. ¿ Cuántos años había pasado allí ? 3. ¿ Qué era el Lobo ?
4. ¿ Qué fama tenía el nuevo jefe ? 5. ¿ Quién era Aurora ? 6. ¿ A
dónde bajaron padre e hija cierta tarde ? 7. ¿ A quién dio Aurora
un beso ? 8. Después de varios meses, ¿ dónde hubo una rebelión ?
9. ¿ A quién atacaron los presos ? 10. ¿ A quién vio venir el jefe
hacia él ? 11. ¿ Quién estaba sano y salvo después de la rebelión ?
12. ¿ A dónde llevaron al Lobo ? 13. ¿ Qué quería el Lobo antes
de morir ?

14. ¿ Ha visto usted en el cine alguna cárcel moderna ? 15. ¿ Ha
leído en el periódico de alguna rebelión en una cárcel ?
16. ¿ Se cometen injusticias algunas veces allí ? 17. ¿ Se escapan
algunos presos de la cárcel ? 18. ¿ Se necesitan las cárceles para
proteger al público ?

ORAL COMPOSITION — Have several members of the class say in
Spanish three connected sentences about any part of the story.

El monstruo

JUAN PABLO ECHAGÜE [1]

La hora de la siesta es hora de descanso y de paz en los países tropicales. Pero para nuestras familias era una hora muy temida. ¿Por qué? Porque no queríamos dormir la siesta. Éramos un grupo de muchachos que vivíamos en quintas [2] vecinas, en las afueras [3] de la ciudad.

Cuando todo el vecindario [4] dormía postrado [5] por el calor, nosotros, sin hacer caso de [a] órdenes ni reproches, y burlando la vigilancia de nuestros padres, salíamos al campo lleno de ardiente sol. Y cuando al caer la tarde volvíamos a casa llegábamos con la cara roja, los trajes rotos, las manos llenas de heridas, y además muertos de cansancio. Por eso temían nuestras familias la hora de la siesta. Llegábamos de uno en uno: [6] Alberto, Felipe, Juan, Eduardo, Enrique, varios más . . . y Lolita.

Era Lolita una niña de doce años, hija de unos campesinos. Nuestras hermanas no se atrevían a salir [b] al campo. Pero ella . . . era una chica casi salvaje. Había crecido con toda libertad entre los suyos y era nuestra jefa. Nadie saltaba como ella, nadie sabía subir más rápidamente a los árboles, nadie conocía mejor los caminos escondidos. Guiados por ella salíamos al campo y, sin ningún escrúpulo cogíamos la fruta de los árboles ajenos. Después, íbamos a sentarnos a la sombra a contar cuentos o a jugar.

---

[1] Juan Pablo Echagüe (1877–1951), crítico literario argentino   [2] quintas : casas de campo   [3] las afueras : los suburbios   [4] todo el vecindario : todos los vecinos   [5] postrado : muy cansado   [6] de uno en uno : uno a la vez

Lolita nos dominaba como una verdadera tirana y nos obligaba a ser puntuales a nuestras citas. Aquella niña salvaje tenía sobre nosotros esa fascinación con que animan a sus tropas los grandes generales. Sentíamos mucha admiración por ella, pero también mucho temor, porque nadie 5 sabía castigarnos con más eficacia.[1] Una sola palabra suya nos causaba más efecto que todos los castigos o reproches imaginables. Esa palabra tenía el terrible poder de avergonzarnos y humillarnos. Cuando le parecía que no éramos valientes, nos gritaba tan sólo « mariquita ».[2] Esa palabra 10 en labios de una niña era algo devastador. Y no era eso lo malo. El que tenía la desgracia de recibir ese insulto quedaba manchado a los ojos de todos, y privado de [3] los beneficios que se derivaban [4] de pertenecer a nuestro grupo. Era un paria entre los demás hasta que se rehabilitaba [5] 15 con algún acto de valor extraordinario.

Al fin decidimos construir con cañas y paja una casita en un lugar apartado, donde nos sentábamos a descansar, charlar y contar cuentos. Eran horas deliciosas llenas de alegría. Nos quedábamos mudos de asombro oyendo las 20 aventuras de Robinson y de Alí Babá. Lolita las oía muy seria. Aquellas historias nunca oídas por ella, eran incomprensibles para su oscura inteligencia de pequeña salvaje.

Una tarde Felipe nos contaba un cuento. A la sombra de una gran parra llena de racimos, echados sobre la húmeda 25 hierba, lo oíamos con mucho placer. Era una historia aterradora [6] . . . Figuraban en ella gigantes, monstruos y dragones. Por eso la oíamos absortos.[7] El sol brillaba como oro sobre el campo y cerca piaba un pájaro, con sonido estridente.[8] 30

— « Y entonces el monstruo — decía Felipe — penetró

---

[1] la eficacia : el efecto [2] mariquita : hombre afeminado (*sissy*) [3] privado de : sin
[4] se derivaban : se sacaban [5] se rehabilitaba : era aceptado otra vez [6] aterradora : terrible, horrible [7] absortos : muy interesados [8] estridente : penetrante, agudo

en el castillo donde estaban los dos príncipes, para devorarlos . . . »

Alberto lo interrumpió. Contó que su mamá le había dicho que en el campo también había seres malos y peli-5 grosos. Eran asesinos y ladrones de niños. « Actualmente — le había dicho — anda por esta región un monstruo terrible. »

Después de breve silencio, Felipe continuó:

— « Los príncipes estaban solos cuando se les apareció el 10 horrible monstruo con cuerpo de gigante, cara de león y unos largos dientes que brillaban muy feos en su inmensa boca abierta. Echaba fuego por los ojos y llevaba en la mano derecha un gran cuchillo . . . »

El orador nos tenía fascinados. Nuestros corazones la-15 tían con violencia y empezábamos a sentir cierto terror. De pronto Lolita ordenó:

— Alberto, anda, espanta ese pájaro que me molesta con su ruido.

El niño se levantó y fue hacia la salida de nuestra casa 20 rústica. Pero no pudo salir. Lívido, temblando, se volvió hacia nosotros. Por fin logró hablar y nos dijo con gritos ansiosos, señalando hacia afuera:[1]

— ¡ El monstruo ! ¡ El monstruo !

Allá, como a cincuenta pasos [2] de distancia, vimos, ¡ sí 25 vimos ! entre el verde de los árboles, una silueta negra, muy alta, con el rostro lleno de sangre, barba roja y grandes ojos saltados muy amarillos. Se acercaba despacio moviendo la cara y haciendo gestos espantosos.[3]

Salimos corriendo como locos. Fue una fuga, una de-30 rrota, llena de desesperación y de pánico. Tropezamos, queriendo salir todos a un tiempo, nos dimos golpes, tratando de escapar todos juntos.

---

[1] hacia afuera: hacia el exterior   [2] como a cincuenta pasos : más o menos a cincuenta pies   [3] espantosos : horribles

Yo no supe qué se hicieron mis compañeros. Yo corrí,
corrí. Las espinas me rompían la ropa y se clavaban en
mis piernas. Pero, yo corría y corría. Me daba contra los
árboles, saltaba los arroyos y las barreras. Y, por último,°
casi sin respirar, loco, dando gritos de angustia [1] y pidiendo   5
protección, fui a caer [2] medio muerto entre los brazos cariñosos de mi madre.

Estuve muy enfermo. Una intensa fiebre se apoderó de
mí. Durante mi delirio veía docenas de gigantes negros
bailando alrededor de mi cama y oía siempre el pío [3] de   10
un pájaro invisible.

Cuando me puse bueno fui a ver a Lolita.

— ¿ Sabes ? — me dijo. — Lo que vimos era un hombre
encargado de cuidar la viña. Caminaba con zancos, se
había envuelto en una capa y llevaba puesta [4] una máscara.   15

— ¡ Cómo ! Pero, ¿ y el monstruo ? — dije aún con
miedo.

— ¡ El monstruo ! . . . ¡ No seas tonto ! ¡ Mariquita !

¡ Casi volví a enfermarme de vergüenza al oír la terrible
palabra !   20

IDIOMS

a) *hacer caso de = hacer caso a*   to pay attention to
b) *atreverse a salir*   to dare go out
c) *por último = por fin = al fin* at last, finally

WORD STUDY

I. What English words and meaning do you recognize from *el
escrúpulo, el efecto, el insulto, derivar, construir, el orador, la protección*? Find more words of the same kind in the text.

---

[1] la angustia : horror, dolor   [2] fui a caer : caí   [3] el pío : la voz   [4] llevaba
puesta : usaba, llevaba

II. Find the word which does not belong to the following groups:
1. *La familia:* los padres, el abuelo, nadie, los hijos, los hermanos
2. *El cuerpo:* la cabeza, la sombra, el estómago, el pecho, el corazón
3. *La casa:* el techo, el cuarto, los pisos, las escaleras, el efecto
4. *El día:* el lugar, la mañana, la noche, la madrugada, la tarde

COMPREHENSION

Complete the following sentences in accordance with the facts read in the story:
1. La hora de la siesta era . . . 2. Nosotros no queríamos . . . 3. Salíamos al campo y volvíamos . . . 4. Era Lolita una niña de . . . 5. Nadie sabía saltar . . . 6. Nos sentábamos a la sombra a . . . 7. Cuando no éramos valientes, nos gritaba «. . .» 8. Cierta tarde apareció algo . . . 9. Los muchachos creían ver . . . 10. Uno se enfermó y Lolita lo llamó . . .

AURAL–ORAL PRACTICE

PREGUNTAS 1. ¿Qué grupo no quería dormir la siesta? 2. ¿A dónde salía el grupo de muchachos? 3. ¿Qué clase de muchacha era Lolita? 4. ¿Qué llamaba a los muchachos cuando no eran valientes? 5. ¿Qué decidieron construir los muchachos? 6. ¿Quién figuraba en el cuento que contaba Felipe? 7. ¿Para qué interrumpió el cuento Alberto? 8. Cuando fue a salir de la casa, ¿qué gritó? 9. ¿Qué vieron los muchachos en el campo? 10. ¿Qué hicieron todos? 11. ¿Quién cayó enfermo? 12. Cuando Alberto vio a Lolita, ¿qué le llamó ella?

13. ¿Pertenece usted a un grupo especial fuera de la escuela? 14. ¿Es usted socio de un (algún) grupo deportivo? 15. ¿Le gustaría a usted pertenecer a algún grupo? 16. ¿Es usted socio de algún grupo en su escuela? 17. ¿Cuál es la actividad principal del grupo?

ORAL COMPOSITION — Recite, at least, six acts which Lolita does, using complete sentences. Do the same for the group of boys in the story.

El asistente

PEDRO ANTONIO DE ALARCÓN [1]

Un capitán muy joven nos contó lo que sigue:

— Al salir del colegio entré en el ejército. Hasta hoy, en cinco años,[2] sólo tuve un asistente, García. Era éste un hombre de unos treinta años, de tipo árabe, de pocas palabras, valor excepcional y muy intenso en sus odios y 5 simpatías. Amaba a quien yo amaba y odiaba al que yo odiaba. A todas horas de día y de noche estaba cerca de mí, dispuesto[3] a atender a mis menores deseos.

Ese hombre componía toda mi familia, cuando yo estaba fuera de mi casa, que era casi siempre.

Aunque yo sólo le hablaba para darle órdenes, para re-10 ñirle o para prohibirle algo, él me servía con placer, con entusiasmo, con cariño. Si yo estaba enfermo él me cuidaba; durante la campaña estaba todo el tiempo a mi lado, sin pensar en el peligro. 15

[1] Pedro Antonio de Alarcón (1833-1891), cuentista y novelista español [2] hasta hoy, en cinco años : hasta el presente día, en cinco años [3] dispuesto : listo, preparado

Era protector como un padre, cuidadoso como una madre, obediente como un buen hijo, cariñoso como un hermano, económico como una esposa, bondadoso como una hermana, leal [1] como un verdadero amigo. Era para mí una familia completa.

Durante la última guerra nos encontrábamos en Cataluña. Un día nos hallamos frente al enemigo cerca de un pueblo pequeño. A la caída de la tarde fuimos sorprendidos por una partida, [2] y nos encontramos entre dos fuegos. Nuestro coronel ordenó la retirada, y en un momento todos huyeron, cada uno por su lado. [3] Pero yo no oí aquella orden y continué luchando [a] al frente de mi compañía, de la cual yo era subteniente en aquel tiempo. El capitán y los tenientes ya habían muerto. El enemigo avanzaba y mis soldados empezaron a caer a mi alrededor muertos o heridos. Sin embargo, yo no mandaba retirar a mi gente, pero ellos huyeron sin esperar mi orden.

García pensó que yo había ordenado aquella fuga. [4] Corrió más que todos, creyéndome acaso al frente de la compañía. Quedé, pues, solo, sable en mano. Así avancé hacia el enemigo, poseído de tal furia que pronto caí en tierra con una terrible convulsión. [5] El enemigo, creyéndome muerto, siguió persiguiendo [a] a los fugitivos.

Llegó la noche y yo continuaba inconsciente. Entretanto, García había notado mi ausencia; volvió al teatro de la lucha para recoger mi cadáver, si yo había muerto, o ayudarme si sólo estaba herido. Al fin me encontró entre los cadáveres. Yo estaba en un extraño estado de inconsciencia que me permitía ver y oír, pero no hablar ni moverme.

García adivinó en seguida lo que me sucedía; secó sus

---

[1] leal : fiel, devoto, noble [2] una partida : un grupo de soldados, una banda, una tropa [3] cada uno por su lado : cada uno independientemente [4] la fuga : la evasión [5] la convulsión : ataque de nervios

lágrimas, me tomó en sus brazos y se dirigió hacia el pueblo. Logró pasar con su carga a veinte pasos de un centinela sin ser descubierto. Ya llegaba al fin de su viaje cuando lo vieron a la luz de la luna.

— ¿ Quién vive ? [1] — gritó una voz a lo lejos.

— ¡ Fuego ! — exclamó otra más cercana.

— ¡ Dios mío ! — murmuró García.

Y apretando duro mis manos, apuró el paso. Silbó una bala y sonó un tiro. Mi asistente se detuvo, dio un quejido [2] y cayó de boca abajo [3] con su pesada carga. Yo caí encima de él. ¡ Qué noche, Dios mío ! García estaba muerto. Yo lo sabía, pero no podía moverme. Pasé la noche, pues, abrazado a un cadáver, al cadáver de mi inferior, de mi esclavo. ¡ Aquél era el primer abrazo que le daba ! El fresco de la mañana me volvió el sentido.[4] Me puse en pie [b] y miré a mi alrededor. Estaba solo. ¡ Solo entre los muertos ! Examiné a García y vi que la bala le había entrado por un lado del pecho y salido por el otro. Entonces comprendí, aunque tarde, lo mucho que [5] lo quería.

Lo tomé a mi vez [c] a cuestas [6] y, trémulo, temblando, con los ojos llenos de lágrimas y el corazón roto, entré en el pueblo.

Allí está enterrado [7] el pobre García. Para mí, hoy su nombre es venerado. Desde entonces soy amable con mis inferiores, cuando se conducen bien. En vez de hacerlos temblar ante mí, sólo quiero ser como un padre para todos ellos. Es que he comprendido, demasiado tarde, que bajo la capa del soldado laten corazones más hermosos que bajo el uniforme brillante de un general.

[1] ¿ Quién vive ? : ¿ Quién viene ? ¿ Quién pasa ?   [2] el quejido : el lamento, la lamentación   [3] boca abajo : de boca al suelo   [4] me volvió el sentido : me volvió la razón   [5] lo mucho que : cuánto   [6] a cuestas : sobre la espalda   [7] está enterrado : está bajo tierra

IDIOMS

a) *continuar* or *seguir* + pres.   to continue + *pres. participle*
   participle
b) *ponerse en pie* = *levantarse*   to stand up
c) *a mi vez*   in (my) turn

WORD STUDY

I. What English words and meaning do you recognize from *el asistente, atender, el placer, durante, el enemigo, el teatro, el centinela, venerar?* Find more words of the same kind in the text.

II. Match the meanings of the first group of words with those of the second.

el colegio, odiar, el deseo, reñir, el cariño, cuidar, la campana, verdadero, el peligro, luchar, suceder, detenerse
to scold, bell, to happen, school, true, to hate, to fight, to stop, to care for, love, wish, danger

COMPREHENSION

I. The events listed below are not in their proper order. Rearrange them as they occur in the story.
   1. Casi todos mis soldados y yo caímos muertos o heridos.
   2. Uno de los centinelas mató a García.
   3. García era el asistente del capitán.
   4. El capitán pasó la noche abrazado a un muerto.
   5. Él siempre lo servía con placer.
   6. Por la mañana entró el capitán en el pueblo con el cuerpo de García que fue enterrado allí.
   7. Yo no oí la orden de retirada y continué luchando.
   8. Aquella noche García me encontró entre los cadáveres.
   9. Un día nos hallábamos frente al enemigo.
   10. Me tomó en brazos y fue hacia el pueblo.

II. Sentence Formation — Use in short sentences the following expressions:
   1. hasta hoy
   2. casi siempre
   3. a lo lejos

4. en vez de
5. desde entonces
6. lo mucho que
7. a todas horas
8. estar fuera de casa
9. sin ser descubierto
10. a la caída de la tarde

AURAL–ORAL PRACTICE

PREGUNTAS 1. ¿ Quién contó el cuento del asistente ? 2. ¿ Cómo se llamaba el asistente ? 3. ¿ Qué clase de hombre era ? 4. ¿ Por qué era García una familia completa para el capitán ? 5. Durante la última guerra, ¿ dónde estaban el capitán y su asistente ? 6. ¿ Qué orden había dado el coronel ? 7. ¿ Quién no oyó la orden ? 8. ¿ Qué le pasó al capitán ? 9. ¿ Quién volvió al teatro de la lucha ? 10. ¿ Cuándo volvió allá ? 11. ¿ Con quién se dirigió al pueblo ? 12. ¿ Qué pasó al asistente ? 13. ¿ Qué tal pasó la noche el capitán ? 14. ¿ A dónde llevó a su asistente ? 15. Desde entonces, ¿ con quién es amable el capitán ?

16. ¿ Le gustaría ser soldado ? 17. ¿ Tiene usted que servir en el ejército ? 18. ¿ Qué le gusta más, el ejército o la marina ? 19. ¿ Es la vida en el ejército fácil o difícil ? 20. ¿ Cuántos años se sirve en el ejército en este país ?

ORAL COMPOSITION — Have the pupils of the class recall the different acts performed by the captain, and those performed by García.

1. El joven capitán cuenta lo que pasó. 2. Tenía un asistente de unos treinta años. 3. Él sólo daba órdenes . . .

La nochebuena
del carpintero

EMILIA PARDO BAZÁN

José volvía para su casa ᵃ al caer de la tarde el día de
Nochebuena. Estaba muy triste. Sentía un frío tan grande
en el corazón como el que hacía en la calle en aquel momento. Empezaba a nevar. Los blancos copos de nieve
5 parecían caer también sobre el alma del carpintero, cada
vez más ¹ llena de dolor. Regresaba a su hogar sin poder
llevar a él comida ni esperanzas.

Después de subir la escalera, no sintió ánimo para entrar.
Se sentó en un escalón, con intención de pasar allí el resto
10 de la noche. Para otros sería muy alegre aquella fiesta
pero para él y su familia no. En los primeros pisos vivía
gente de más o menos medios, pero en las buhardillas ² de
los pisos altos residían obreros pobres. Había luz hasta el
tercer piso y de allí en adelante ³ la oscuridad aumentaba.
15 Por primera vez sintió miedo de tocar a su propia puerta.
¡ Llevaba tan malas noticias ! ¡ Y era Nochebuena !

El carpintero, temblando de frío, pensó de nuevo en la
causa de su desesperación. Sintió ira contra todo y contra
todos. Ya llevaba un mes sin trabajo.⁴ ¡ Qué días tan
20 tristes ⁵ había pasado caminando de un lado a otro de
Madrid buscando ocupación ! Aquí excusas; allí vagas

---

¹ cada vez más : más y más   ² la buhardilla : piso más alto de una casa   ³ de
allí en adelante : de allí hacia arriba   ⁴ Ya llevaba un mes sin trabajo. : Ya
había estado un mes sin trabajo.   ⁵ ¡ Qué días tan tristes ! : ¡ Qué tristes días !

promesas; allá palabras secas y duras. Pero trabajo, ninguno. Todos sus esfuerzos para conseguirlo habían sido
en vano.

No se atrevía a entrar en su casa. No llevaba nada a los
que lo esperaban, muertos de hambre y de frío. Ni los
regalos de Nochebuena ni nada para consolarlos. Y así
continuaba José en la escalera en un estado de indecisión
horrible, en una verdadera crisis del alma.

Lleno de amargura miró hacia la parte iluminada de la
escalera. Allí había animación, abrir y cerrar de puertas,
subir y bajar de criados y mensajeros, llevando paquetes
y cartas. Se hacían los últimos preparativos para la cena
de Nochebuena. Una sola puerta no se había abierto.
Era la de doña Rosa, una anciana viuda muy devota. De
repente,[b] llegó a ella un grupo de niños con mucho ruido y
alegría. Eran los sobrinos de la señora, su único amor.
La casa, hasta entonces muda, se llenó de risas. Un momento después, la criada, otra vieja, salió a la puerta y
gritó:

— ¡ Señor José ! ¿ Está ahí el señor José ? Baje que lo
necesito.

José empezó a bajar rápidamente y contestó con voz
ronca :

— ¡ Allá voy,[1] señora Manuela !

— Entre, si no tiene nada que hacer, para que nos arregle
el Nacimiento. Han llegado los niños y mi ama está loca
con ellos. No tiene que ir a buscar nada porque aquí tenemos todo lo necesario.

José entró. En una habitación estaban las figuras para
el Nacimiento del Niño Dios en Belén y las tablas para
hacer la base donde lo colocaría. En medio del alegre
ambiente, empezó el carpintero su trabajo. ¡ Con qué

---

[1] ¡ Allá voy ! : ¡ Llego en un momento !

placer lo hacía ! Se sentía como un hombre nuevo, con nueva fuerza moral, al tener otra vez en sus manos los instrumentos de su profesión. Pieza por pieza, tabla por tabla, iba formando la plataforma. Después puso allí el
5 Nacimiento con sus torres y montes de cartón pintado, su yerba artificial y sus figuras de barro. Los niños miraban con interés la obra del carpintero. Doña Rosa ponía bujías en unos candeleros de cristal y bronce; los criados iban y venían. Fuera nevaba, pero nadie hacía caso.
10 José trabajaba rápidamente para terminar pronto. Sentía una especie de transporte,[1] reacción de la angustia de momentos antes.

Cuando José terminó, doña Rosa le hizo señas de seguirla. Lo llevó a un cuarto donde lo dejó solo. Los ojos
15 del carpintero se fijaron en una imagen colocada sobre una consola [2] y alumbrada por una lámpara pequeña de fino cristal. Era una estatua de San José, escultura moderna sin mérito, pero de cierta belleza y sentimiento. El santo no estaba representado, como de costumbre,[3] con el Niño
20 en sus brazos, sino al lado de un banco de carpintero. Parecía enseñar al pequeño Jesús, dulce y sonriente, la ley del trabajo, que es la suprema del mundo. José miraba y miraba al grupo. Sentía como que [4] la imagen le hablaba, pronunciando frases de cariño y de consuelo que no había
25 oído jamás. Volvió doña Rosa y le dio cinco duros. José, en vez de dar las gracias, miró primero a la dama y después a la imagen. La muda elocuencia de sus ojos respondió a la de los ojos de la anciana. Ésta leyó en ellos, como en un libro, el alma de aquel desgraciado,[5] agotado física y
30 moralmente [6] por la pobreza y el sufrimiento. Y la buena señora, que siempre ayudaba a los pobres, sintió un golpe

---

[1] el transporte : la alegría, el entusiasmo [2] la consola : mesa decorativa [3] como de costumbre : como siempre [4] como que : como si [5] el desgraciado : el pobre hombre [6] física y moralmente : físicamente y moralmente

en el corazón. La pobreza, que ella iba siempre a buscar
fuera de su casa, la visitaba ahora. La tenía allí mismo,[1]
a dos pasos, callada y con dignidad, pero urgente y completa. Volvió los ojos hacia la figura de San José y con
bondad dijo al carpintero: 5
— Ahora mismo [2] le llevarán de aquí a su casa una
buena cena, para que celebre también la Nochebuena.

IDIOMS

a) *volver para su casa*   to return home
b) *de repente = de pronto = en*   suddenly, all of a sudden, right
   seguida = inmediatamente   away, immediately

WORD STUDY

I. What English words and meaning do you recognize from
   residir, la desesperación, consolar, el mensajero, devoto, terminar,
   pronunciar, la dignidad? Find more words of the same kind in
   the text.

II. In the following word groups tell which is the meaning of
    the Spanish word:
    1. *la escalera:* scale, answer, stairs, present, corner
    2. *atreverse:* to go, to occur, to dare, to climb, to cross
    3. *el ruido:* noise, duty, wall, exercise, street
    4. *sentirse:* to sleep, to sense, to feel, to please, to return
    5. *sonriente:* smart, smiling, sufficient, certain, some
    6. *el cariño:* caress, building, factory, package, love

COMPREHENSION

Choose the proper word or expression to complete the sentences
according to the facts in the story.

gente rica, hizo llamar, sentía, dio, se atrevía a, para celebrar,
empezaba a, hacían, subió, arregló

[1] allí mismo : en aquel mismo lugar   [2] ahora mismo : en este mismo momento

1. José — frío en el corazón. 2. En la calle hacía frío y — nevar. 3. El carpintero — la escalera sin ánimo. 4. En los primeros pisos vivía —. 5. El pobre hombre no — entrar en su casa. 6. En un piso — los preparativos para la cena de la Nochebuena. 7. Doña Rosa — a José el carpintero. 8. Fue José quien — el Nacimiento. 9. Cuando terminó, ella le — cinco duros. 10. Además ella envió una buena cena a su casa — la Nochebuena.

AURAL-ORAL PRACTICE

PREGUNTAS 1. ¿Cuándo volvía José para su casa? 2. ¿Qué tiempo hacía? 3. ¿Qué gente vivía en los primeros pisos? ¿ en los pisos altos? 4. ¿Por qué estaba triste el carpintero? 5. ¿Quién lo llamó de la casa de doña Rosa? 6. ¿Qué iba a arreglar el carpintero? 7. ¿Por qué trabajaba rápidamente? 8. ¿A quién esperó en el cuarto donde estaba solo? 9. ¿Cuánto le dio doña Rosa? 10. ¿A quién ayudaba? 11. ¿Qué iban a llevar a la casa de José?

12. ¿Qué celebran más los españoles, la Nochebuena o el Día de Navidad? 13. ¿Recibe usted muchos regalos en Navidad? 14. ¿Celebran ustedes la Navidad con muchos parientes? 15. ¿Le gusta celebrar las fiestas? 16. ¿Hay clases en los días de fiesta?

ORAL COMPOSITION — Recite a short composition in Spanish on:

La Nochebuena de José

His return home — the cold weather — his sadness — no food for the family — seated on the stairs.

Doña Rosa's invitation — work for him — his change of heart — receives money — cheerful Christmas Eve for his family.

El brazalete

GUSTAVO ADOLFO BÉCQUER [1]

Ella se llamaba María y era muy hermosa. Tan hermosa
que no parecía humana. Él se llamaba Alfredo. Era valiente, hermoso y supersticioso. Adoraba a su novia y la
complacía en todo. Su amor por ella no tenía límites.

María quería a Alfredo a su manera.[2] Era muy capri- 5
chosa. Los dos habían nacido en Toledo y hacía mucho
tiempo que se conocían.[3]

[1] Gustavo Adolfo Bécquer (1836–1870), gran poeta lírico y cuentista español
[2] a su manera : más o menos   [3] hacía mucho tiempo que se conocían : se habían conocido por mucho tiempo

Un día fue Alfredo a visitar a María y la encontró llorando. Le preguntó la causa de su llanto y ella no contestó. Suspiró con gran dolor y volvió a llorar. Él, lleno de angustia, insistió en saber qué le pasaba.

5 — No me preguntes — respondió María. — Yo no sé explicártelo y tú no sabrás comprenderme. Te suplico que no insistas. Si te digo lo que tengo,[1] te reirás de mí. — Pero tanto insistió él que por último [a] María dijo con tristeza :

— Dirás que estoy loca. Pero como insistes te diré lo 10 que tengo.[1] Ayer fui a la iglesia a la fiesta de la Virgen. La imagen estaba en el altar mayor [2] rodeada de luces. Yo rezaba con la cabeza baja. De repente la levanté y miré hacia el altar. Pero mis ojos no miraron la imagen sino que se fijaron en un brazalete de oro y diamantes. Lo 15 tenía la Virgen en el brazo donde llevaba al Niño. Mis ojos siempre buscaban el brazalete. Salí de la iglesia y me fui a casa. No pude dormir en toda la noche, pensando en el brazalete. Ya por la mañana [3] me dormí de fatiga. Y todavía en sueños veía el brazalete de oro y diamantes de 20 la Virgen. Me desperté con la misma idea. Parece cosa del diablo. Por eso estoy triste y lloro, porque no puedo pensar en otra cosa.

Alfredo no se rio. Al contrario bajó la cabeza y dijo con voz sorda :

25 — ¿ Qué Virgen lleva ese brazalete ?

— La de la catedral.

— ¡ La de la catedral ! — exclamó Alfredo con terror.

En su cara se veía una expresión rara. Parecía pensar en algo que le causaba miedo. Entonces dijo con energía : 30 — ¿ Por qué no lo tiene otra Virgen ? A la Virgen de la catedral no se lo puedo quitar. Es nuestra patrona y me enseñaron a quererla desde niño.[4] Es imposible.

---

[1] lo que tengo : lo que me pasa   [2] el altar mayor : el altar principal   [3] por la mañana : en la mañana   [4] desde niño : desde cuando era niño

— ¡ Sí, es imposible ! — replicó María, en voz muy baja.
Siguió llorando la muchacha. El joven no dijo nada.
Ambos parecían cubiertos con un manto de tristeza.

El mismo día en que tuvo lugar [b] la conversación entre
los novios, había una gran fiesta en la catedral. Al ter- 5
minar, salieron todos los fieles y se cerraron las puertas.
Sólo quedó la luz débil del altar mayor. Cuando ya no
había nadie en la iglesia, salió de entre las sombras una
figura. Era un hombre pálido como un muerto. Paso a
paso, se acercó al altar donde estaba la Virgen. Al llegar 10
cerca se le pudo ver la cara. Era Alfredo. ¿ Qué hacía
allí, a esa hora y solo ?

Con ojos inquietos, temblando de pies a cabeza [c] y con
un sudor frío en la frente, en su actitud se veía que iba a
hacer algo terrible. Llegó hasta el primer escalón del 15
altar. Quiso seguir y no pudo. Sintió un espantoso terror.
Sus pies quedaron sin movimiento.

Por fin, continuó acercándose a la imagen. Subió hasta
el último escalón y pudo tocar el pedestal. A su alrededor
había formas extrañas cuyo conjunto daba miedo.[d] Sólo 20
la bella Virgen, iluminada con su lámpara de oro, se veía [1]
tranquila. Su hermosa cara tenía una sonrisa de bondad.
Alfredo cerró los ojos y extendió la mano. Con un movimiento que parecía una convulsión, arrancó el brazalete
de oro y diamantes del brazo de la Virgen.   25

Ya tenía lo que María deseaba. Los dedos del joven
apretaban la joya con fuerza de loco. Ahora sólo tenía
que salir de la iglesia y huir. Pero para eso tenía que abrir
los ojos; y no quería ver la imagen, ni las figuras de los
reyes, ni las otras figuras de la catedral, ni la luz, ni la 30
sombra. Todo para él estaba lleno de fantasmas [2] y sentía
terror. Oía ruidos extraños y rumor de voces. Por fin,

----

[1] se veía : parecía   [2] los fantasmas : las apariciones

abrió los ojos y dio un grito [e] terrible. Todas las estatuas de la catedral habían bajado de sus sitios y miraban a Alfredo con sus ojos sin pupilas. Hasta los animales de granito, usados en el adorno [1] de la iglesia, se arrastra-
5 ban hacia el joven. Los veía horribles y sin forma.

Alfredo no pudo resistir tan terrible cuadro y tan fuerte impresión. Sintió que su frente latía con violencia y que se le partía la cabeza. Sus ojos se oscurecieron [2] bajo una nube de sangre. Dio un grito [e] lleno de espanto, y cayó
10 en un desmayo, al pie de la Virgen que había ofendido.

Al otro día [3] los que cuidaban la iglesia llegaron muy temprano. Al pie del altar encontraron a Alfredo. Tenía en las manos todavía, sujeto con todas sus fuerzas, el brazalete de oro y diamantes de la Virgen. Al verlos llegar
15 lo levantó en alto y gritó en una carcajada [4]:

— ¡ Es de ella ! ¡ Es de ella !

El pobre joven se había vuelto loco,[f] pagando así muy caro su deseo de complacer el capricho insensato [5] de María.

IDIOMS

a) *por último = por fin = al fin = al cabo*	at last
b) *tener lugar*	to take place
c) *de pies a cabeza*	from head to foot
d) *dar miedo (a)*	to frighten, scare
e) *dar un grito*	to utter a cry
f) *volverse loco*	to lose one's mind

WORD STUDY

I. What English words and meaning do you recognize from *el brazalete, el límite, insistir, la energía, tranquilo, ofender, la estatua*? Find more words of the same kind in the text.

---

[1] el adorno : la decoración   [2] se oscurecieron : perdieron la vista   [3] al otro
día : al día siguiente   [4] la carcajada : risa ruidosa   [5] insensato : tonto, loco

II. Match the words of the first group with the opposites of the second.

todo, nacer, llorar, salir de, dormirse, la noche, enseñar, terminar, último, abrir, subir, encontrar

primero, perder, el día, bajar, principiar, entrar en, cerrar, morir, despertarse, nada, reír, aprender

COMPREHENSION

I. Combine the proper parts of the following sentences:

1. María era tan hermosa   a. la encontró llorando.
2. Alfredo adoraba a   b. para robar el brazalete.
3. Los dos habían nacido   c. había vuelto loco.
4. Al visitar a María, Alfredo   d. que no parecía humana.
5. Su novia quería poseer   e. de sus sitios.
6. El joven salió   f. su novia caprichosa.
7. Se acercó al altar   g. en Toledo.
8. Al llegar al altar,   h. el brazalete de la Virgen.
9. Las estatuas habían bajado   i. de la sombra en la iglesia.
10. El pobre joven se   j. sintió un terror espantoso.

II. Dialog — Memorize and act before the class.
— Quisiera ver un brazalete.
— Con mucho gusto. ¿ Lo quiere de oro o de plata ?
— De plata, por favor.
— Aquí tiene usted algo especial.
— Éste no me gusta. Quiero ver algo mejor, si me hace el favor.
— Este brazalete es una preciosidad. ¿ Le gusta ?
— Sí, me gusta mucho. ¿ Cuánto vale ?
— No mucho; no es caro.

AURAL–ORAL PRACTICE

PREGUNTAS 1. ¿ Quién era María ? ¿ Alfredo ? 2. ¿ En qué ciudad nacieron los dos ? 3. ¿ Qué hacía María cierto día cuando la visitó Alfredo ? 4. ¿ En qué se había fijado María ? 5. ¿ Qué pensó hacer Alfredo ? 6. ¿ Qué era lo que causaba miedo a Alfredo ? 7. ¿ Qué tuvo lugar el mismo día de la conversación de los novios ? 8. ¿ Cuándo salió Alfredo de entre las sombras ?

9. ¿A dónde se dirigió? 10. ¿Qué arrancó del brazo de la Virgen? 11. ¿Dónde cayó en un desmayo? 12. ¿Qué pasó al pobre joven?

13. ¿Es la religión una parte importante de la vida? 14. ¿Asiste mucha gente a la iglesia el domingo? 15. ¿Asiste usted a la iglesia? 16. ¿Qué se hace en la iglesia? 17. ¿Cuál es la iglesia más importante de una ciudad?

ORAL COMPOSITION — Say three connected sentences in Spanish to answer the following questions:

(a)

1. Do you have a sweetheart?
2. Does she attend the same school?
3. Why do you like her?

(b)

1. Where do you go to school?
2. Do you have many pals?
3. What sport do you like most?

Acción generosa

SARA INSÚA [1]

— ¡ Qué bonito collar de perlas, Isabel !

— Este collar me lo ha regalado . . .   Pero, será mejor contarle la historia desde el principio.   ¿ Quiere usted ? — preguntó Isabel.

Dije que sí [2] a mi amiga, tomé una posición cómoda, e   5
Isabel habló así:

— Creo que usted sabe que pasé varios años de mi juventud en la Habana.   Al final del siglo pasado, mi padre era cónsul allí.   Yo tenía catorce años.   Mis cuatro hermanos, menores que yo, me obedecían y respetaban.   Re-   10
gresamos a España en un barco francés, « La Navarre ».
Era uno de los mejores de aquella época.   Al salir del puerto se enfermó mi madre.   No pudo moverse de la cama durante el viaje y mi padre tenía que cuidarla constantemente.   Entonces naturalmente, mis hermanos quedaron a   15
mi cargo.   Yo los atendía en todo y procuraba tenerlos [a] siempre a mi lado.

Al segundo día de viaje, almorzaba yo con ellos.   De pronto, vi que mi hermano Arturo tomaba con mucho cuidado un poco de pan y algo de todo lo que nos habían   20
servido.   Me sorprendí, pues él nunca comía mucho.   No le dije nada en la mesa para no asustarlo.   Cuando salimos del comedor, él trató de escaparse [a] hacia una escalera, pero yo lo detuve.

— Espera — le dije. — ¿ Por qué te has llenado los bol-   25
sillos de todas esas cosas ?   Eso está muy feo.

— Oye, Isabel, — me contestó — no es para mí sino para Oscar, un niño mejicano que va a Francia por telé-

---

[1] Sara Insúa (1903–), escritora y periodista española   [2] dije que sí : dije « sí »

grafo en tercera clase. Yo me he hecho amigo suyo, y como en tercera dan muy poco de comer [1] . . .

Yo lo miraba sin comprender; « un niño mejicano que iba a Francia por telégrafo ». Aquello me parecía muy extraño.

— No digo una mentira — dijo Arturo. — Puedes venir conmigo y verás que digo la verdad. Oscar me espera en el segundo puente.

Seguí a mi hermano muy curiosa. En el otro puente, en verdad, cerca de la división que separaba a los viajeros de tercera de los de primera, vi a un niño. Estaba vestido con traje de marinero y parecía estar esperando a alguien. Cuando vio a Arturo lo miró con alegría. Mi hermano me presentó a su amigo:

— Ésta es mi hermana Isabel — dijo al niño. — Ella no cree que tú vas a Francia por telégrafo.

El mejicano, como queriendo convencerme, replicó:

— Sí, señorita, yo voy a Francia, que es mi patria, aunque yo nací en Méjico. Mis padres eran franceses. Han muerto hace dos meses y el cónsul me manda a Francia por telégrafo.

— ¿ Y con quién viajas ? — pregunté, comprendiendo al fin.

— Con nadie, viajo solo. El cónsul me trajo al vapor en el puerto de Veracruz. Habló con el oficial que cuida de los viajeros, le dio unos papeles y le dijo : « En Saint-Nazaire irán a buscarlo del asilo ».

— Entonces, — continué yo — ¿ tampoco tienes familia en Francia ?

— No sé. Si el cónsul me manda allí, supongo que la gente del asilo son mis parientes.

Aquel pobre huérfano,[2] que iba solo a un país donde

---

[1] muy poco de comer : muy poca comida   [2] el huérfano : persona joven que pierde padre y madre

solamente lo esperaba un asilo de huérfanos, me inspiró gran compasión.

— No puedes seguir aquí en tercera — dije, obedeciendo a un impulso generoso. — ¿ No estás muy triste ?

— Sí, señorita, — respondió con lágrimas en los ojos. 5
— ¡ Aquí estoy tan solo ! Por la noche [b] tengo miedo.[c]

Yo había preparado mi plan mientras Oscar hablaba.

— Salta la baranda — le dije. — De ahora en adelante [d] estarás con nosotros.

— ¿ Con ustedes ? — preguntó lleno de asombro. 10

Él miraba la primera clase del barco como una maravilla imposible de alcanzar. Sin embargo, sólo tuve que decírselo una vez. Saltó rápidamente y vino a besarme la mano, mirándome con sus ojos negros ahora muy alegres.

— ¡ Qué buena es usted, señorita ! — dijo con emoción. 15
— ¿ Qué vas a hacer ? — preguntó mi hermano muy contento.

— Voy a pedir permiso al capitán para que Oscar haga el viaje [1] con nosotros en primera clase.

El capitán, M. D'Estornell, era un hombre muy agra- 20 dable y bondadoso. No tardamos mucho en encontrarlo y le dije:

— Señor capitán, este niño es huérfano de padre y madre. Sus padres eran franceses. Ha quedado completamente abandonado en Méjico y el cónsul lo envía a un asilo en 25 Francia. El pobre viaja en tercera, solo, sin conocer a nadie. Si usted lo deja aquí con nosotros, yo lo cuidaré como a uno de mis hermanos. Tenemos una cama vacía.

— Señorita, — contestó el capitán, después de meditar unos momentos — aunque usted me pide una cosa que 30 nunca permitimos, no puedo decir que no [2] a una petición tan justa. Además, creo que el niño lo merece.

[1] para que Oscar haga el viaje : si Oscar puede viajar   [2] no puedo decir que no : no puedo decir « no »

— Gracias, capitán, — dije. — Estaba segura de que
usted me daría permiso.
Desde aquel momento, Oscar fue el compañero de mis
hermanos. Yo estaba encantada con él. No me causaba
5 ninguna molestia. Siempre tenía una palabra de gracias
para la más pequeña de mis atenciones.
— Yo no la olvidaré a usted nunca, Isabel — me decía.
Cuando llegábamos ya al fin del viaje sentí gran ansiedad.
« Después de todo — pensaba — yo he hecho un mal a °
10 este niño, pues ahora encontrará más dura la vida del
asilo ». Mis padres no eran ricos y tenían cinco hijos.
Aunque Oscar era un niño tan bueno, no podía quedarse
con nosotros. Un día conversaba yo con el capitán. Éste
era muy amable conmigo, con mis hermanos y con Oscar.
15 Le expliqué el asunto que tanto me preocupaba. Grande
fue mi sorpresa al oír su respuesta.
— También yo he pensado en adoptar a Oscar, Isabel.
He visto que el niño es bueno e inteligente. Yo no tengo
hijos y mi esposa vive sola en Saint-Nazaire. Tendrá gran
20 alegría cuando yo le lleve a Oscar.
Han pasado muchos años de eso.[1] Este verano, en el
casino [2] de San Sebastián, nos presentaron a un ingeniero
francés. Su nombre D'Estornell no despertó nada en mi
memoria. ¡ Había pasado tanto tiempo ! Pero él, después
25 de mirarme con una insistencia que casi me molestó, dijo:
— ¿ Es su nombre Isabel ?
Respondí que sí.
— ¿ No me recuerda usted ? Soy Oscar, el muchacho
mejicano de « La Navarre ».
30 Él me recordaba, pero yo a él no. Era natural, pues de
los ocho a los treinta y cinco años cambia mucho un hombre; y yo de los catorce hasta ahora dicen que apenas he

---

[1] de eso : desde entonces   [2] el casino : el club, la sociedad

cambiado.   Oscar me contó que el capitán y su esposa lo
habían adoptado como hijo.   Habían sido para él verdaderos padres.

— Mi padre, a quien siempre le gusta el mar,[f] — dijo
Oscar — posee uno de los yates [1] más bonitos de Francia y
mi madre la más linda casa de Saint-Nazaire.

Tres días después llegaba al puerto de San Sebastián el
yate de los D'Estornell, llamados por un telegrama de Oscar.   El capitán, a pesar de su cabeza blanca, no había
perdido ni su bondad ni su elegante aspecto.   Insistieron
en llevarnos en el yate a dar un paseo[g] por el Cantábrico.   Pero los negocios de mi esposo requerían nuestra
presencia en Madrid inmediatamente.   Sólo pudimos aceptar una invitación a una comida.   Al final de ella Mme.
D'Estornell, quitándose su collar de perlas, me dijo:

— Permítame ofrecerle estas perlas en nombre de Oscar
y de sus padres.   Su valor es pequeño, comparado con el
bien que debemos a usted.   Pero acéptelo en prueba de
nuestra gratitud.

— Y ahí tiene usted, amiga mía, — concluyó Isabel —
la historia de mi hermoso collar de perlas.

IDIOMS

a) *procurar tener = tratar de tener* — to try to have
b) *por la noche* — at night
   por la mañana — in the morning
   por la tarde — in the afternoon
c) *tener miedo de (a)* — to be afraid of
d) *de ahora en adelante* — from now on
e) *hacer un mal (daño) a alguien* — to do someone harm
f) *Le gusta el mar.* — He likes the sea.
   Le gusta hablar. — He likes to speak.
   Le gustan los niños. — He likes children.
g) *dar un paseo* — to take a ride *or* walk

[1] los yates : barcos de gala

WORD STUDY

What English words and meaning do you recognize from *servir, el telégrafo, convencer, el impulso, contento, la ansiedad, el yate?* Find more words of the same kind in the text.

COMPREHENSION

I. Arrange the following sentences so as to form a summary of the story.

1. Mi hermano Arturo tomaba algo de lo que habían servido.
2. Los padres de Oscar le regalaron el collar de perlas.
3. Todo eso era para el niño mejicano.
4. El pobre huérfano me inspiró gran compasión.
5. Isabel tenía un collar de perlas bonito.
6. Años después Oscar reconoció a Isabel en San Sebastián.
7. Todos regresábamos a España en *La Navarre*.
8. Mi hermano me presentó al niño mejicano.
9. Isabel había pasado varios años en la Habana.
10. Oscar fue adoptado por el capitán.

II. Series — Memorize the series and repeat it for different persons. Recite it also in the future with the subjects *yo* and *usted*.

1. Pasé varios años en la Habana.
2. Hice un viaje a España con mi familia.
3. Cuidé a mis cuatro hermanos menores.
4. Un día vi que Arturo escondió parte de la comida.
5. Le pregunté por qué había hecho eso.
6. Descubrí que la comida era para Oscar.
7. Pasé un buen rato con él y mis hermanos.
8. Años después, recibí este collar de su madre.

AURAL–ORAL PRACTICE

PREGUNTAS 1. ¿ De qué van a hablar las dos amigas ? 2. ¿ Dónde pasó Isabel varios años ? 3. ¿ A quién atendía durante el viaje ? 4. ¿ Qué hizo Arturo al segundo día de viaje ? 5. ¿ Para quién eran todas aquellas cosas ? 6. ¿ Quién era Oscar ? 7. ¿ A dónde iba ? 8. ¿ A quién preguntó Isabel si Oscar podía viajar con su familia? 9. ¿Quién había pensado en adoptar a Oscar? 10. ¿Quién fue presentado a la familia de Isabel? 11. ¿Quién era el ingeniero? 12. ¿De quién recibió Isabel el collar de perlas?

13. ¿Le gusta viajar por mar, por tierra o por aire? 14. ¿Por qué medio viaja más la gente de hoy? 15. ¿Tiene usted coche? 16. ¿Le gusta manejar un auto? 17. ¿Ha viajado usted jamás en un avión?

ORAL COMPOSITION — Translate into Spanish.

I like to travel on a large boat. On my last trip, my mother became sick. My father had to take care of her. I took care of my four younger brothers. One of my brothers introduced me to Oscar, a French boy. During the trip we enjoyed ourselves. Many years later Oscar's mother gave me this beautiful necklace.

Príncipe

EMILIA PARDO BAZÁN

Mi buen amigo Antonio me convida a comer casi todos
los jueves. A la hora del café, me cuenta siempre cosas de
cuando era pobre. Le gusta repetir que para vivir tenía
que usar, con frecuencia,[a] los métodos que emplea una per-
5 sona que está en la miseria.

Oír hablar de la pobreza de Antonio en su actual casa
es algo extraño. La sala donde tomamos el café está amueblada [1] con lujo y buen gusto. El café mismo es del más
caro. Lo sirve un criado que seguramente gana un buen
10 sueldo. Alrededor nuestro, todo muestra riqueza. Se siente
uno en el hogar de un millonario.

— ¿Cree usted que soy ahora más feliz que entonces?
— me preguntó una noche Antonio. — Juraría que usted
es una de las pocas personas que saben que no soy más
15 dichoso ahora.

— ¿Era usted soltero en aquellos tiempos? — pregunté.

— Sí, era soltero y huérfano. Pero no podría decir que
estaba solo porque no es verdad, tenía a alguien conmigo.
Tenía un perro, y ese perro fue el origen de mi fortuna.

---

[1] está amueblada : tiene muebles

No fue con mis energías ni con mis esfuerzos como la conseguí. Fue por Príncipe. Le voy a contar su historia.

— Príncipe era un perro muy feo. Era uno de esos perros que andan solos por las calles: flaco, sucio, con el pelo revuelto [1] y las patas [2] llenas de barro. Para colmo de males,[3] el pobre no tenía ni atracción en la mirada porque era tuerto.[4] Cómo había perdido el ojo izquierdo, no lo sé. Cuando lo encontré ya estaba así. Se unieron nuestras dos miserias y nos hicimos grandes amigos. Mas la fealdad física de Príncipe estaba compensada por su gran inteligencia y otras altas cualidades que sólo yo sabía apreciar. Y quise a Príncipe como a un verdadero amigo. Por él, solamente por él, maldecía mi pobreza. Quería verlo limpio, lleno de perfume, con un collar de plata.

Él a su vez [5] no quería a nadie sino a mí. No atendía sino a mi voz y no hacía caso de nadie más.[6] Sólo para mí tenía gestos de adoración y miradas, con su único ojo, que eran un poema de gratitud y amor. Una caricia mía lo volvía loco de contento. Comprendía mis regaños y mis cumplidos como los entienden muy pocas veces los humanos. Cuando yo lo alababa, se sentía muy feliz. Pero al fin las alabanzas lo echaron a perder.[b] Animado por mis cumplimientos me traía lo que encontraba o robaba, incluso [7] a veces,[c] un racimo de uvas, pan fresco y hasta queso, que me salvaban de la angustia de un estómago vacío. Yo le daba entonces un fuerte abrazo, y él, loco de alegría, me lamía las manos y me saltaba al pecho.

Una tarde estaba yo cerca de un café esperando recibir una limosna. De pronto, vi regresar corriendo a Príncipe, que dos horas antes había desaparecido. Traía con cuidado entre los dientes un objeto plano y oscuro. Extendí la

[1] el pelo revuelto : el pelo sin peinar [2] la pata : pie y pierna de los animales [3] los males : la desgracia, la aflicción [4] tuerto : ciego de un ojo [5] a su vez : por su parte [6] de nadie más : de ninguna otra persona [7] incluso : entre otras cosas

mano y abrió él la boca. ¡ Era una cartera ! Era de cuero
muy fino y sin iniciales. Tenía dentro . . . todavía siento
la misma emoción al recordarlo . . . un gran fajo de billetes.
Los conté y había allí . . . ¡ la enorme suma de noventa mil
5 y pico [1] de pesetas !
     Con un sudor frío, temblando, busqué otra vez. Pero la
cartera no tenía ningún papel que indicara su amo. Juro
que al principio mi instinto fue devolverla. Investigué por
todas partes y aun en la policía, mas todo fue en vano; no
10 pude hallar al dueño.
     Quizá debí poner anuncios o dejar la cartera en la policía.
No lo hice. ¡ Dios me perdone ! [2] Sabía que era hábil
para los negocios y pensé que la suerte me daba el medio
de emprenderlos. Y así lo hice.
15   Al año siguiente había doblado ya mi capital. Entonces
puse anuncios buscando al dueño de la cartera. Pero fue
inútil, no apareció. Algunas personas vinieron a recla-
marla. Mas no supieron dar sus señas [3] ni decir la cantidad
que contenía. De manera que [4] no podían ser los dueños.
20   Para calmar mi conciencia, desde entonces siempre hago
lo siguiente: si sé que un empleado pierde una suma y no
la puede reponer yo se la doy. También ayudo mucho a los
pobres. Así he salvado a muchos infelices la vida y la
honra.
25   — ¿ Y dónde está Príncipe ? — pregunté con interés.
     — Príncipe murió, creo que de tristeza. Estaba siempre
muy limpio y perfumado, muy bien cuidado y con un hermoso collar de plata. Pero mi nueva vida de hombre de
negocios no me permitía tenerlo conmigo a todas horas.
30 Tampoco podía llevarlo a todas partes.[5] Y mi pobre Príncipe murió; no pudo resistir nuestra separación, después

---

[1] y pico : y algunas más   [2] ¡ Dios me perdone ! : ¡ Espero que Dios me perdonará !
[3] las señas : la descripción, los detalles   [4] de manera que : así es que   [5] a todas
partes : a todos los lugares

de haber estado siempre juntos, noche y día, por tanto tiempo.

Mi amigo Antonio tosió para disimular que tenía los ojos llenos de lágrimas.

IDIOMS

a) *con frecuencia = frecuentemente = a menudo* often, frequently
b) *echar a perder* to spoil, ruin
c) *a veces = algunas veces* sometimes, at times

WORD STUDY

I. What English words and meaning do you recognize from *repetir, el método, emplear, la atracción, la gratitud, el estómago, la conciencia, perfumado*? Find more words of the same kind in the text.

II. Match the meaning of the first group of words with those of the second:
la miseria, actual, el lujo, el soltero, la mirada, izquierdo, el queso, alabar, robar, recordar, el sudor, salvar
look, to steal, to save, poverty, to praise, sweat, present, to remember, bachelor, left, luxury, cheese

COMPREHENSION

Tell whether the following statements are true or false:
1. Mi buen amigo me convida a comer todos los domingos.
2. Me cuenta cosas de cuando era pobre.
3. Era extraño oír hablar a Antonio de cuando era pobre en su casa de lujo.
4. Me dijo que era más feliz ahora que antes.
5. Su perro no era el origen de su fortuna.
6. Príncipe era un perro feo, flaco y sucio.
7. Cierto día le trajo a Antonio una cartera.
8. La cartera tenía un papel que indicaba su amo.
9. La cartera contenía una gran cantidad de dinero.
10. El pobre Príncipe murió de tristeza.

AURAL–ORAL PRACTICE

PREGUNTAS 1. ¿ A quién le gustaba contar cosas de cuando era pobre ? 2. ¿ Por qué es extraño oírle hablar de su pobreza ? 3. ¿ Quién fue el origen de la fortuna de Antonio ? 4. ¿ Qué clase de perro era Príncipe ? 5. ¿ Cómo quería Antonio a su perro ? 6. ¿ Qué trajo Príncipe a su dueño una tarde ? 7. ¿ Qué suma contenía la cartera ? 8. ¿ Cuándo había doblado Antonio su capital ? 9. ¿ Qué hizo después de un año ? 10. ¿ Se encontró al dueño de la cartera ? 11. ¿ A quién ayudaba Antonio ? 12. ¿ De qué murió Príncipe ?

13. ¿ Le gustan los perros ? 14. ¿ Son los perros buenos compañeros ? 15. ¿ Le gustaría poseer un perro ? 16. ¿ Le gusta más un perro grande o uno pequeño ? 17. ¿ Le gustan más los perros de pura raza o los mestizos ?

ORAL COMPOSITION — Listen to your teacher read the passage followed by five questions. Answer the questions in English.

El nombre Perú es de origen incierto. Entre las varias versiones, la más probable es la siguiente.

Francisco Pizarro y sus soldados, hambrientos de oro, al llegar a lo que hoy es Colombia, querían saber una cosa. Preguntaron a los indios de donde venían sus ornamentos de oro. Los nativos señalaron un punto al sur, hacia un río, diciendo *Biru*, que significaba « río ». Los españoles creían que *Biru* era el nombre del lugar. Poco a poco *Biru* se cambió en *Peru* y luego en Perú. Entre otras versiones, ésta es la más aceptada.

Hay otro punto interesante acerca de este país. El Perú está rodeado por más países que cualquier otro de Suramérica, a excepción del Brasil. El Perú limita con Colombia, Ecuador, Chile, Brasil y Bolivia.

1. ¿ A dónde llegaron Pizarro y sus soldados ? 2. ¿ Qué querían saber los españoles ? 3. ¿ De dónde venían los ornamentos de oro de los indios ? 4. ¿ De dónde se deriva el nombre Perú ? 5. ¿ Qué otra cosa de particular tiene el Perú ?

Mariposa

CONCHA ESPINA [1]

La cama de Rosita estaba vacía desde hacía [2] muchos
años. ¡ Años muy largos para los padres de la niña muerta !
Antes de acostarse se detenían siempre con inmenso dolor
delante de la blanca cama colocada muy cerca de la suya.
Carlos y María, los padres, sentían que esos años sólo 5
habían tenido tristeza para ellos. Todos los días habían
sido días de dolor. Su vida no parecía ya tener objeto.
¿ Qué iban a hacer con su riqueza ahora que había muerto
su hija ? Habían perdido toda esperanza y vivían llenos de
dolor.   10
Era una noche de luna. Todo lo cubría la nieve [3] con un
manto blanco. Todo estaba en silencio y el pueblo dormía
profundamente.
María y Carlos estaban como siempre, solos y tristes.
Suspiraban sentados al lado de la chimenea de mármol [4] 15
donde ardía un buen fuego. Sólo los alumbraba la luz de
la luna, que entraba a través de la ventana. De pronto,
oyeron el ruido confuso de un coche que se acercaba. También oían los ecos débiles de un canto y las notas de un
violín. Era un poco de vida que pasaba por la calle tran- 20
quila.

---

[1] Concha Espina (1879-1955), novelista española y autora de hermosas novelas
de costumbre   [2] desde hacía : por, durante   [3] todo lo cubría la nieve : la nieve
lo cubría todo   [4] el mármol : piedra con que hacen las estatuas

Poco después sintieron que alguien llamaba suavemente [1]
a la puerta de la casa. Era una mano sin fuerzas. Carlos,
con curiosidad, se levantó para ir a ver quién era.
Desde su silla oyó María una voz infantil. En seguida
5 vio con asombro que Carlos entraba con una niña de la
mano.

¡ Qué extraña era la niña ! Era blanca y linda como la
noche que la traía. Tenía los cabellos rubios, los ojos
azules y una cara triste y expresiva.
10 María quiso convencerse de que no era víctima de una
ilusión. Le extendió los brazos y le preguntó con cariño:

— ¿ Eres un ángel ?

— No, soy una niña pobre — contestó. — Me llaman
Mariposa y trabajo en el teatro. Sé cantar y bailar, pero
15 llorar no sé. Iba por el camino en un coche con « unos »
que me hacían trabajar mucho y me daban muchos golpes.
Tengo miedo [a] y hambre [b] y también siento mucho frío. Al
pasar por esta casa me pareció muy atractiva y segura. En
seguida me dejé caer [c] del coche sin verme nadie. Estuve
20 sin moverme sobre un montón de nieve hasta que el coche
se alejó. Ahora, si ustedes me dan protección y tienen
compasión de mí, yo cantaré y bailaré todo lo que sé para
divertirlos.

María la tomó sobre sus rodillas llena de profunda emo-
25 ción. Carlos, igualmente emocionado, escuchaba. Los dos
hicieron varias preguntas [d] a la niña:

— ¡ Pobre niña ! ¿ No has conocido a tus padres ?

— No, soy niña « regalada ». Les voy a contar lo que me
pasó cuando nací: una mujer me llevó donde esos actores
30 con quienes estaba, y les dijo: « ¿ Quieren esta criatura ?
Se la regalo. » Ellos contestaron que sí. [2]

— ¿ Y por qué no sabes llorar ?

---

[1] suavemente : sin hacer mucho ruido [2] contestaron que sí : contestaron « sí »

— Porque cuando sabía hacerlo me castigaban mucho si lloraba. Entonces aprendí a beber y esconder mis lágrimas.

— ¿ Y tampoco sabes rezar ?

— Tampoco.

— ¿ Conoces a la Virgen ?   5

— No la he visto nunca, pero he oído hablar de ᵉ ella.

— Voy a enseñarte la Virgen — dijo María.

La llevó con dulzura frente a un cuadro de la Virgen y le dijo con devoción:

— Ésta es la madre de las pobres niñas regaladas.   10

Levantó la niña hacia la imagen su rostro pálido y triste; y como reconociéndola en su memoria dijo:

— ¡ Ah, sí, ésa es !¹

Le tiró un beso y se quedó largo rato mirándola.

Los esposos le dieron de comer ᶠ y le hicieron caricias y   15
atenciones.² Al tiempo de acostarla cambiaron un gesto de interrogación. Primero miraron hacia la cama blanca, intacta durante tantos años de duelo. Pero como Carlos no se decidía, María inclinó la cabeza con pesar. Luego preparó a la niña una cama en el sofá del cuarto.   20

Durante la noche María, inquieta y cuidadosa, se sentó en la cama para ver a su protegida. La vio con sorpresa de rodillas ante el cuadro de la Virgen. Estaba rezando con fervor, con expresión de amor y de inocencia.

Aunque la pobre niña tenía apenas siete años, ya sabía 25
mucho, pues conocía muy bien el dolor. Y estaba diciendo ³ a la Virgen un discurso de amor y gratitud. María le llamó la atención suavemente.

— ¿ Qué haces, Mariposa ?

Ella volvió la mirada llena de alegría y respondió: 30

— Ya sé rezar y sé llorar también. ¡ Mira !

Fue hacia la dama con pequeños pasos silenciosos. Ape-

---

¹ ésa es : es ella   ² le hicieron caricias y atenciones : la trataron con amor y protección   ³ estaba diciendo : hablaba

nas se veía su figura pequeña bajo la luz débil de la lámpara del cuarto

Mariposa quería enseñar a María su rostro alegre, lleno de lágrimas de dicha Se montó sobre la baranda de la
5 cama blanca para acercarse más a la de los esposos. Se inclinó demasiado y cayó, sin hacerse daño, en el blando colchón tanto tiempo abandonado.[1]

Temblando de emoción gritó María:

— ¡ Carlos, Carlos ! ¡ La niña regalada se ha caído en la
10 cama de Rosita !

Medio dormido, preguntó Carlos:

— ¿ Se ha caído ? ¿ Desde dónde ?

— No sé . . . Desde la noche, desde la nieve, desde el cielo quizás.

15 — Sí, desde el cielo — contestó el esposo despierto ya y sonriendo.

Y añadió en seguida, mirando con gozo a la linda niña, tan llena de gracia y encanto:

— Cuídala bien, María, porque es nuestra. Dios nos la
20 ha regalado en esta noche blanca, llena de nieve, de luz y de misterio . . .

IDIOMS

a) *tener miedo = temer*	to be afraid
b) *tener hambre*	to be hungry
c) *dejarse caer*	to let oneself fall
d) *hacer preguntas*	to ask questions
e) *oír hablar de*	to hear of, hear speak of
f) *dar de comer a*	to feed

[1] abandonado : desocupado

WORD STUDY

I. What English words and meaning do you recognize from *inmenso, el objeto, la curiosidad, convencerse, la compasión, la imagen, pálido, silencioso*? Find more words of the same kind in the text.

II. Word Family — You know the meaning of the first word of each line. Look up the meaning of the other words in a dictionary.

1. dormir: dormido, –a, el dormitorio
2. entrar: la entrada, entrante
3. preguntar: la pregunta, preguntón, –ona
4. cantar: el canto, el cantante, cantable, la cantatriz
5. bailar: el baile, bailable, la bailarina, el bailarín, el bailador

COMPREHENSION

Repeat the following statements in the past, imperfect and future.

1. La cama de Rosita está vacía.
2. Todos los días son días de dolor.
3. El pueblo duerme profundamente.
4. Los esposos oyen el ruido confuso de un coche.
5. Alguien llama a la puerta.
6. Soy una niña pobre.
7. Tengo miedo y hambre.
8. Los esposos le dan de comer.
9. Mariposa cae en la cama blanca.
10. Debemos cuidarla porque es nuestra.

AURAL–ORAL PRACTICE

PREGUNTAS 1. ¿Desde cuándo estaba vacía la cama de Rosita? 2. ¿Qué tal habían sido esos años para Carlos y María? 3. ¿Dónde estaban los esposos aquella noche de luna? 4. ¿Qué oyeron en el silencio de la noche? 5. ¿Quién llamó suavemente a la puerta? 6. ¿Qué tal era la niña? 7. ¿Con quiénes trabajaba? 8. ¿Qué sabía hacer? 9. ¿De quién había oído hablar

Mariposa?   10. ¿En dónde se cayó la niña aquella noche?
11. ¿De quién había sido regalada a los esposos?

12. ¿Le gustan los niños?   13. ¿Hay niños en su familia?
14. ¿Son interesantes los niños?   15. ¿Les gustan los juguetes
a los niños?   16. ¿A quiénes quieren mucho los niños?

ORAL COMPOSITION — The pupils of the class will develop orally
in Spanish a summary of the story, mentioning:

(a) When Mariposa knocked at the door (b) how Charles
and Mary received her (c) a description of Mariposa (d) what
Mariposa can do (e) her escape (f) how she started working
for the actors (g) how they treated her (h) the kind treatment
of husband and wife (i) their intention of adopting Mariposa
(j) a happy family of three

Polifemo

ARMANDO PALACIO VALDÉS [1]

El coronel Toledano, por mal nombre [2] Polifemo, era un hombre feroz. Era muy alto y caminaba con paso fuerte e imponente; [3] tenía enormes bigotes [4] blancos; voz de trueno; corazón de acero. La mirada severa, de su único ojo, pues al coronel le faltaba uno, daba miedo.[5] Había 5 estado en la guerra y sólo Dios sabe cuántos moros había matado. Al menos eso creíamos todos los chicos que, al salir de la escuela, íbamos a jugar al parque. Por allí [6] paseaba también el terrible guerrero. Al verlo, nuestros corazones infantiles se llenaban de espanto.   10

El terrible coronel tenía un sobrino de nueve a diez años, como nosotros. ¡ El pobre ! No podíamos verlo en el parque sin sentir compasión. Nos parecía un cordero andando con un león. No comprendíamos cómo aquel infeliz muchacho podía tener apetito y vivir tranquilo.   15

Lo raro del caso [7] era que el sobrino no mostraba ni el terror ni la tristeza que creíamos debía sentir. Al contrario, brillaba en sus ojos una alegría franca que nos daba asombro. Cuando iba con su tío, marchaba muy tranquilo, contento y sonriente. Cuando llamaba: « ¡ Gaspar ! » el 20

---

aire temblaba y el eco de aquel grito llegaba hasta el último
rincón del parque. Nosotros nos poníamos pálidos; pero
el sobrino corría, como llamado por una campana, y decía
muy tranquilo: « ¿ Qué quiere usted, tío ? »

5   Además del sobrino, el monstruo del coronel tenía también un perro. Era un hermoso perro danés, grande, fuerte
y muy ágil y se llamaba Muley. Era uno de los más nobles
que he conocido, siempre alegre y dispuesto al juego. Todos
estábamos encantados con el animal. Siempre que podía-
10 mos, le dábamos algo: pan, un dulce, un poco de queso.
El perro aceptaba todo contento y nos daba muestras de
agradecimiento. Pero era tan noble el animal que no mostraba más cariño al que le daba. Podía servir de ejemplo
a los humanos.

15   Con frecuencia ª jugaba con nosotros un pobre niño de
un asilo, llamado Andrés. No podía dar nada al perro,
porque nada tenía. Sin embargo, era el favorito de Muley.
Sus vueltas de rabo más grandes, sus mayores saltos eran
para ese niño, sin ocuparse de ᵇ los demás.

20   Por su parte,[1] Andrés tenía una verdadera pasión por el
perro. Cuando jugábamos y llegaba Muley, se separaban
ambos y jugaban por largo rato. Luego se echaban en el
suelo,ᶜ uno al lado del otro, como hablando de algo muy
importante. Una tarde, con valor increíble, Andrés se llevó
25 el perro para el asilo [2] y sólo volvió a las dos horas.ᵈ Venía
muy contento; y el perro parecía también muy alegre. Por
fortuna,[3] el coronel estaba aún en el parque y no se había
dado cuenta de la ausencia de Muley.

Muchas tardes se repitió la misma cosa. La amistad del
30 niño y del perro era cada vez mayor. Mas todavía no estaba
contento Andrés. Tuvo la idea de llevarse el perro a dormir
con él. Una tarde se llevó a Muley y no volvió. ¡ Qué

---

[1] por su parte : a su vez   [2] para el asilo : al asilo   [3] por fortuna : felizmente

noche tan feliz !¹ Durmieron abrazados. Por la mañana
el niño lo dejó ir y el perro corrió a casa de su dueño.
Volvieron a dormir juntos muchas noches. Mas la dicha
es corta en este mundo. Una tarde jugábamos todos cuando
de pronto oímos un fuerte grito. Era una voz que decía: 5
— ¡ Alto ! ¡ Alto !
Volvimos todos la cabeza, como movidos por un resorte.
Frente a nosotros estaba la enorme y terrible figura del
coronel Toledano.
— ¿ Cuál de ustedes es el atrevido ² que se lleva a mi 10
perro todas las noches ?
Nadie contestó. El terror nos tenía mudos, sin movimiento. El ojo de fuego de Polifemo parecía devorarnos
de uno en uno.³ El perro lo acompañaba y nos miraba con
ojos inocentes y leales, moviendo el rabo con ansiedad y 15
rapidez. Se volvió a oír la trompeta; y entonces Andrés,
pálido como un muerto dio un paso adelante ᵉ y dijo:
— No acuse a nadie, señor, yo fui.
— ¡ Oh ! ¿ Has sido tú ? — dijo el coronel sonriendo
como una fiera.⁴   20
— ¿ No sabes de quién es este perro ?
— Sí, señor — respondió Andrés con dificultad.
— ¿ Cómo ? . . . habla más alto.
— Sí, lo sé. Es de usted, señor Polifemo.
El coronel lo miró fijamente, con más curiosidad que ira. 25
— ¿ Y por qué te lo llevas ?
— Porque es mi amigo y me quiere — contestó el niño
con voz firme.
— Está bien ⁵ — replicó mirándolo con interés el coro-
nel. — Pero no te lo lleves otra vez. Si lo haces te cortaré 30
las orejas seguro.

---

¹ ¡ Qué noche tan feliz ! : ¡ Fue una noche muy feliz !   ² el atrevido : el valiente
³ de uno en uno : a cada uno   ⁴ la fiera : el animal salvaje   ⁵ Está bien. : Muy
bien.

Y nos dio la espalda [1] con majestad. Pero antes de dar un paso metió la mano en el bolsillo, sacó una moneda de medio duro y dijo volviéndose:

— Toma para dulces. Pero no vuelvas a llevarte mi
5 perro.

Y se alejó. A los pocos pasos [d] volvió la cabeza. Andrés había dejado caer la moneda al suelo y lloraba, cubriendo su cara con las manos. El coronel se acercó con rapidez y preguntó:

10 — ¿Estás llorando? ¿Por qué?

— Porque lo quiero mucho . . . porque es el único que me quiere en el mundo — gimió [2] Andrés.

— Pues, ¿ de quién eres hijo?

— Soy huérfano [3] y vivo en el asilo.

15 — ¡ Cómo ! — gritó Polifemo.

Entonces vimos cambiar la expresión de su cara. Se acercó al niño, le quitó las manos de la cara y le secó las lágrimas con su pañuelo. Luego lo abrazó y besó, diciendo con emoción:

20 — ¡ Perdona, hijo mío, perdona ! No hagas caso de lo que te he dicho. Puedes llevarte el perro si quieres todos los días.[f] Y por muchas horas también, de noche o de día.[4] ¿ Entiendes?

Después calmó a Andrés con otras frases dichas en su voz
25 potente,[5] pero con un tono de voz que nosotros no sospechábamos en él. Luego se fue del parque. Pero se volvió muchas veces para gritar al niño:

— ¡ Puedes llevártelo si quieres ! Ya lo sabes, hijo mío. Siempre. Y creo que vi una lágrima en el ojo vacío de
30 Polifemo.

Andrés se fue corriendo, seguido de su amigo, que ladraba muy alegre.

---

[1] Y nos dio la espalda : Y se volvió   [2] gimió : lloró   [3] soy huérfano : no tengo padre ni madre   [4] de noche o de día : durante la noche o el día   [5] potente : fuerte

IDIOMS

a) *con frecuencia = frecuentemente =*   often, frequently
   a menudo
b) *ocuparse de alguien*   to pay attention to someone
   ocuparse de hacer   to bother to do
c) *echarse en el suelo*   to lie down on the ground
d) *a las dos horas*   after two hours
   a los pocos pasos   after taking a few steps
e) *dar un paso adelante*   to take a step forward
f) *todos los días*   every day

WORD STUDY

What English words and meaning do you recognize from *el parque, dispuesto, aceptar, repetir, el movimiento, acusar, responder, la rapidez*? Find more words of the same kind in the text.

COMPREHENSION

I. Supply the appropriate words to complete the following sentences:

1. El coronel Toledano era . . . 2. Tenía enormes . . . y una voz de trueno. 3. El coronel tenía un sobrino de . . . 4. Polifemo tenía también . . . 5. Andrés era el favorito . . . 6. Una tarde se llevó a Muley . . . 7. Polifemo quería saber quién . . . 8. Andrés dijo que era él quién . . . 9. Él era . . . y vivía en . . . 10. El coronel dijo a Andrés que podía . . .

II. Sentence Formation — Complete the beginning of each of the following sentences with:

   trabajar mucho, comer algo bueno, escribir una carta

1. Voy a . . .   6. Me gusta . . .
2. Ella trata de . . .   7. Volvemos a . . .
3. Él me permite . . .   8. Usted acaba de . . .
4. El señor quiere . . .   9. ¿ Sabe usted . . . ?
5. ¿ Le gusta . . . ?   10 Empezamos a . . .

AURAL–ORAL PRACTICE

PREGUNTAS   1. ¿ Qué otro nombre tenía el coronel Toledano ?
2. ¿ A dónde iban a jugar los chicos ?   3. ¿ Cuántos años tenía
el sobrino del coronel ?   4. ¿ De quién iba a ser víctima según
los chicos ?   5. Además del sobrino, ¿ qué más tenía el coronel ?
6. ¿ Quién era el favorito de Muley ?   7. ¿ A dónde se llevó
Andrés al perro ?   8. ¿ Qué preguntó el coronel una tarde ?
9. ¿ Qué confesó Andrés ?   10. ¿ Por qué lloraba ?   11. ¿ Qué dijo
el coronel que podía hacer Andrés ?   12. ¿ Qué piensa usted del
cuento Polifemo ?   13. ¿ Le gustaría tener un tío como el coronel ?   14. ¿ Le gustan las personas de mucha estatura ?   15. ¿ Qué
buenas cualidades tenía el coronel ?   16. ¿ Es una persona sim-
pática o no ?

17. ¿ Cuántos tíos tiene usted ?   18. ¿ Viven todos en la misma
ciudad ?   19. ¿ Cuándo los visita ?   20. ¿ Quiere a todos sus tíos ?

ORAL COMPOSITION — Have the story told by several pupils, from
the boys' point of view, mentioning the following:

Polifemo's walks through the park — a description of him —
his nephew and what the other boys thought — the fondness of
Muley for Andrew — the disappearance of both — the inquiry
of Polifemo about Muley's abduction — Andrew's confession
— Andrew's victory.

La primera conquista

FELIPE TRIGO [1]

Mi tía me había dado dos reales y compré con ellos lo
siguiente:
Cinco céntimos de cigarrillos.
Dos céntimos de fósforos.
Ocho de dulces.   5
Y un buen real de confeti, porque era Carnaval.
Con todo esto en mis bolsillos me dirigí a la calle de
San Francisco.
El paseo estaba animadísimo.[2] Pronto encontré muchos
amigos, y caras conocidas entre las niñas. Yo guardaba 10
mi confeti para Olimpia, la chica de pelo negro que iba a
la escuela que está frente a la mía. Pero Soledad, una rubia
muy bonita, pasó de repente del brazo de [3] una compañera;
se dirigió a mí resueltamente,[4] mordió su paquete de confeti y me lo tiró encima.[5]   15
Soledad era muy linda — y todavía creo que lo es. Yo
me sentí lleno de orgullo y, dando [6] una vuelta hábil, me
volví a encontrar delante de ella. Llevaba en la mano dos
paquetes de confeti; me adelanté hacia Soledad y los sa-
cudí sobre su cabeza. Le cayeron por todo el cuerpo y los 20
encajes de su vestido parecían cubiertos por una nevada [7]
de mil colores. Cuando la niña pudo al fin abrir los ojos
riendo, con papelillos [8] hasta en las pestañas, le ofrecí almendras y ella me dio un caramelo.

---

[1] Felipe Trigo (1864–1916), célebre novelista español   [2] animadísimo : con mucha
gente   [3] del brazo de : brazo a brazo con   [4] resueltamente : con resolución
[5] encima : sobre mí   [6] dando : haciendo   [7] la nevada : la caída de nieve   [8] papelillos : confeti

— Dile algo, no seas tonto — dijeron mis amigos con envidia.

Fui al café que quedaba enfrente, donde en tiempos de exámenes nos convidábamos unos a otros a tomar algo.

5 Allí escribí en el mejor papel que encontré:

« Señorita: Hace ya mucho tiempo que mi corazón lleno de amor sufre mucho con la duda. Desde que vi por primera vez la luz de sus ojos perdí la calma. Si le interesa a usted la felicidad de un pobre desesperado de la vida, déle el de-

10 seado sí a quien por usted se muere, a la vez ᵃ que se ofrece como su más sincero servidor, q.s.p.b.[1] »

Diez minutos después, sombrero en mano y con toda la cortesía posible, estaba otra vez delante de Soledad diciendo:

15 — Señorita, ¿ sería usted tan amable que quiera aceptar [2] esta carta ?

— Démela pronto que nos va a ver mi criada — me contestó ella quitándomela de la mano, para ponerla dentro de su blusa.

20 — Y diga usted señorita, ¿cuándo me dará la contestación?

— Mañana.

— ¿ Aquí mismo ? [3]

— Sí, hombre, no sea usted fastidioso.

Y dando una vuelta ᵇ se reunió con sus amigas.

25 Yo me quedé como tonto sintiendo un gran susto en el corazón, pero muy admirado de mi valor [4] y encantado de mi buena fortuna. No hablé más en toda la tarde, y habría dado todos las almendras y bombones que me quedaban por estar ya en el siguiente día.

30 Pero aquella noche fui al teatro con mi familia, y a la salida cogí un resfriado muy fuerte. Estuve ocho días [5]

---

[1] q.s.p.b. : que sus pies besa   [2] que quiera aceptar : de aceptar   [3] ¿ Aquí mismo ? : ¿ En este mismo lugar ?   [4] admirado de mi valor : sorprendido de mi resolución   [5] ocho días : una semana

en cama.   No sé si en el delirio de mi alta fiebre dije el
nombre de Soledad; pero sí recuerdo muy bien que al tercer
día de convalecencia me entregaron una carta suya.   Tenía
en el sobre todas las señales de haber sido abierto, y en la
cara de mis padres había signos también de haberse reído   5
de la carta y de mí.

« Caballero — decía la carta — a la gran pasión que usted
me pinta en la suya,[1] y que yo creo sincera no puedo ofrecer
otro premio que la amistad.   Si usted sabe ganar mi corazón, sólo Dios puede decir el porvenir que nos reserva.   10
s.s.s.[2] Soledad. »

Después decía abajo:

« No pase mucho por mi calle, porque mi papá puede
berlo y hecharle a husted[3] un jarro de agua; el domingo
al anochecer[4] puede husted hablarme en mi bentana.[5] »   15

Bueno, salvo la letra, que era de segunda,[6] y la posdata,[7]
que era original y mostraba casi el colmo de la mala ortografía[8] de su dueña, la carta no estaba mal copiada.

Era precisamente el modelo siguiente al mío en el « Epistolario[9] del amor para uso de damas y galanes ».   20

IDIOMS

a) *a la vez*   at the same time
b) *dar una vuelta*   to turn about

WORD STUDY

I. What English words and meaning do you recognize from *la
conquista, la felicidad, la cortesía, la blusa, admirar, reservar, la
envidia, encontrar*? Find more words of the same kind in the
text.

[1] en la suya : en su carta   [2] s.s.s. : su segura servidora (yours truly)   [3] berlo y
hecharle a husted : verlo y echarle a usted   [4] al anochecer : al llegar la noche
[5] bentana : ventana   [6] de segunda : de segunda clase   [7] la posdata : lo que se
añade a una carta ya concluída   [8] la ortografía : manera de escribir las palabras
correctamente   [9] Epistolario : libro con una colección de cartas modelos

II. Give the opposite of each word in italics:

1. un *buen* cigarrillo
2. *muchos* amigos
3. una rubia *bonita*
4. *delante* de ella
5. *abrió* los ojos

6. el *mejor* papel
7. *mucho* tiempo
8. la *primera* vez
9. el sombrero *viejo*
10. mi *buena* amiga

COMPREHENSION

I. Recite the following sentences in Spanish:

1. My aunt gave me some money. 2. I bought several things. 3. I met many friends on St. Francis street. 4. I also met Soledad who threw confetti at me. 5. She was a pretty blond whom I admired very much. 6. My friends told me that I was her favorite. 7. Later I wrote her a letter to tell her that I loved her very much. 8. I became sick and my parents received the answer. 9. My parents enjoyed reading the letter. 10. My letter and hers were copied from the same collection of love letters.

II. Verbs — Recite completely in Spanish the following sentences:

1. ¿Cómo *is called* el joven? 2. *It was* buen tiempo aquel día. 3. *It was* las tres cuando salió. 4. Muchas cosas *are sold* allí. 5. La casa *is* fría. 6. Los jóvenes *are* frío. 7. En invierno *it is* frío. 8. A él le *liked* a la rubia. 9. Volvió a su casa sin *seeing her*. 10. Los dos no *know how to write* cartas.

AURAL–ORAL PRACTICE

PREGUNTAS 1. ¿Cuánto había recibido el muchacho de su tía? 2. ¿Qué compró con el dinero? 3. ¿A quién encontró en la calle de San Francisco? 4. ¿Qué le tiró Soledad encima? 5. ¿Qué sacudió el muchacho sobre la cabeza de Soledad? 6. ¿Qué escribió a la rubia? 7. ¿A quién dio la carta? 8. ¿A dónde fue aquella noche con su familia? 9. ¿Cuántos días estuvo enfermo con un resfriado? 10. ¿De quién recibió la respuesta a su carta? 11. ¿De qué libro había copiado Soledad su carta?

12. ¿ Le gustan los cuentos con personajes de su edad, más o menos ? 13. ¿ Le gustan los dos personajes de este cuento ? 14. ¿ Le gusta dar un paseo por la calle principal de su ciudad ? 15. ¿ Tiene usted muchos amigos fuera de la escuela ? 16. ¿ Escribe usted sus propias cartas o las copia de un epistolario ?

ORAL COMPOSITION — Have several pupils give the class, in Spanish, a description of a Spanish Carnival.

1. Let the pupils bring out: what the typical young man buys — the condition of the streets — meeting of friends.
2. A description of Soledad — a pretty blond — attractive to boys, especially to the young man in the story — how she shows her preference.
3. A brief account of the letter-writing episode.

El suicidio
de Anguila

ARMANDO PALACIO VALDÉS

Era Anguila un golfo de Avilés, de la provincia de Asturias. Nacido y criado a orillas del mar y dueño de todo
su tiempo, se pasaba la vida en el agua. Era tan buen
nadador [1] que podía competir con los mismos peces. Por
5 eso lo llamaban Anguila.

Durante las ferias de San Agustín venían a Avilés muchos
viajeros de todas partes, incluso de Madrid. Algunos de
ellos se divertían arrojando al agua monedas de cobre para
que los chicos se tirasen a cogerlas [2] con los dientes. An-
10 guila no tenía rival en eso.

Pero donde más se distinguía era en las fiestas náuticas
celebradas durante las ferias. En lo alto de un palo altísimo [3] untado de sebo se colocaba una bolsa llena de dinero.
Para cogerla había que subir por el palo hasta alcanzarla.
15 Anguila era siempre el ganador [4] aunque se caía muchas
veces.

[1] el nadador : persona experta en nadar [2] se tirasen a cogerlas : mientras que
las cogían [3] en lo alto de un palo altísimo : en la punta de un palo muy alto
[4] el ganador : persona que gana

En una de esas ferias Anguila se ganó la respetable suma
de ocho duros y así concibió el atrevido proyecto de visitar
a Madrid. Con ese propósito en la mente salió de Avilés
sin despedirse ni siquiera [1] de su familia. Al día siguiente
5 estaba en Oviedo y cuatro días más tarde se hallaba en León,
donde debía tomar el tren para Madrid.

Anguila escogió el coche donde había más gente y allá
se subió él. En los coches de tercera viaja la gente menos
limpia, pero en cambio, [a] la más franca y bondadosa. Allí
10 es donde mejor se practican todas las virtudes cristianas.
Nuestro héroe no tuvo dificultad en captarse las simpatías
de la gente pues era muy gracioso, y además prestó servicios a todo el mundo. Pronto se hizo popular, y todos
le dieron algo de comer y de beber. Entretanto les hizo
15 saber que iba a Madrid. Mas he aquí que de pronto,[2]
mientras estaba asomado a la ventanilla, se le oyó lanzar
un terrible grito. Los otros asustados, le preguntaron a
una: [3]

— ¿Qué te pasa, muchacho?
20 — ¡Se me cayó! [4] — exclama Anguila desesperado.
— ¿Qué se te ha caído?
— ¡El billete! ¡Se me cayó el billete! — Y comenzó
a llorar, lleno de angustia.

Los compañeros de viaje, compadecidos, decidieron hacer
25 algo por él. Los hombres querían decir la verdad al revisor, pero al fin prevaleció [5] la opinión de las mujeres de
ocultarlo entre sus faldas al venir el revisor. Así se hizo
con muy buena suerte y nuestro héroe pudo llegar a Madrid,
donde otra vez las mujeres lo escondieron para salir de la
30 estación.

Una vez en Madrid, trató de vivir según sus medios, que
eran bien pocos, y ver cuanto antes [b] todas las cosas nota-

---

[1] ni siquiera : ni aun [2] mas he aquí que de pronto : pero inmediatamente
[3] a una : todos juntos [4] ¡se me cayó! : ¡se cayó! [5] prevaleció : ganó, venció

bles de la villa:[1] el Palacio Real, el Congreso, los museos, la casa de fieras,[2] los teatros y las principales calles y paseos. Para hacer durar más su dinero, dormía en los bancos de los parques y comía lo peor y menos que podía. Mas aun así pronto se le acabó[3] el poco dinero que 5 llevaba.

Un domingo fue a visitar el Retiro,[4] el parque más concurrido[5] de Madrid en esos días. Lo que más le llamó la atención fue el estanque surcado[6] por algunos botes. Pensando estaba Anguila en su situación, muy apurado por 10 falta de fondos, cuando de pronto se le ocurrió otra genial idea.[7] Buscó el lugar donde había más gente y donde estaban más lejos las lanchas, y sin más ni más,[8] se montó sobre la baranda de hierro, y se tiró al agua, dando al mismo tiempo un grito terrible. 15

A su grito contestaron otros cien diciendo:

— ¡ Un niño se ha caído al agua !

— ¡ No, se ha tirado ! ¡ Lo he visto yo !

— ¡ Se ha caído !

— ¡ Le digo a usted que se ha tirado ! 20

Anguila desapareció en el agua y al poco rato volvió a aparecer haciendo muecas[9] horribles. Luego desapareció otra vez, como quien lucha con la muerte, para volver a asomarse agitando los brazos y gritando:

— ¡ Socorro ! ¡ Socorro ! 25

El público empezó a gritar:

— ¡ Que se ahoga ese niño ![10] ¡ Salvad a ese niño !

Las mujeres a su vez gritaban:

— ¡ Salvad a ese niño, cobardes !

Anguila seguía desapareciendo y volviendo a aparecer 30

[1] la villa : la ciudad, la capital [2] la casa de fieras : el parque zoológico [3] se le acabó : gastó [4] el Retiro : el parque principal de Madrid [5] el más concurrido : el más visitado [6] el estanque surcado : el lago cruzado [7] otra genial idea : otra excelente idea [8] sin más ni más : sin perder tiempo [9] la mueca : una expresión exagerada de la cara [10] ¡ Que se ahoga ese niño ! : ¡ Ese niño se está ahogando !

cada vez más agitado. Pero nadie se tiraba para salvarlo. Al fin uno, el mismo que decía haberlo visto tirarse, se quitó la chaqueta y dijo:

— ¡ Se ha tirado ! ¡ Yo mismo lo he visto ! Pero no
5 importa.

Y eso diciendo se tiró al agua y se acercó al niño nadando. Cuando llegó a él, lo agarró [1] por los cabellos y lo arrastró hacia la orilla.

Anguila parecía medio muerto, pero muy pronto se re-
10 puso. Entonces su salvador [2] que quería hacer valer su opinión, le preguntó:

— ¿ Te has caído o te has tirado ?

— ¡ Me he tirado !

— Y ¿ por qué te has tirado ?
15 — ¡ Porque quería matarme !

— Y ¿ por qué querías matarte ?

— Porque estoy muerto de hambre.

Al oír esto una ola de compasión llenó todos los corazones. ¡ Qué horror ! ¡ Un niño muerto de hambre ! En
20 un momento se reunió un montón [3] de centavos y algunas pesetas para el niño. En aquel momento apareció un caballero, el cual abriéndose paso [4] entre la gente, se acercó al muchacho y le dio su tarjeta.

Vino entonces la policía y lo llevaron a la casa de socorro,
25 y allí lo metieron en la cama mientras se secaba la ropa. Una vez ya seco y con algún dinero se fue a la dirección indicada en la tarjeta. Era el palacio de un conde. Enterado éste de la historia que Anguila le contó, lo hizo dormir en su casa. Al día siguiente lo mandó a la estación
30 del Norte con un criado, el cual le compró un billete para León, y otro para la diligencia [5] hasta Avilés.

---

[1] lo agarró : lo cogió   [2] su salvador : el que le salvó   [3] un montón : una gran cantidad   [4] abriéndose paso : se abrió camino   [5] la diligencia : coche grande para el transporte de viajeros

Ésta es la verdadera historia del suicidio de Anguila. Hay que verlo [1] ahora imitando su « suicidio » para hacer reír a sus amigos de Avilés. Yo mismo lo he presenciado y puedo dar testimonio de ello. [2]

5

IDIOMS

a) *en cambio*   on the other hand
b) *cuanto antes*   as soon as possible

WORD STUDY

I. What English words and meaning do you recognize from *competir, distinguirse, el proyecto, la virtud, practicar, el héroe, aparecer, el norte*? Find more words of the same kind in the text.

II. Match the words of the first group with those of the second arranging them into synonyms and opposites.
   a) nacer, lleno, subir, pero, hallar, la verdad, alguno, siempre, esconder, poner, tomar, acabar
   b) mas, ninguno, morir, nunca, la mentira, colocar, coger, bajar, encontrar, vacío, terminar, ocultar

COMPREHENSION

I. Complete the following statements with the suitable word between parentheses:
   1. Era Anguila un golfo de Avilés, en (Galicia, Asturias, Valencia).
   2. Él (llamaba, venía, se pasaba) la vida en el agua.
   3. En las ferias se ganaba (bastante, poco, alto) dinero.
   4. Un día (salió, tuvo, se ganó) de Avilés para ir a Madrid.
   5. Al (deber, tener, tomar) el tren para Madrid, escogió el coche con más gente.

[1] hay que verlo : uno debe verlo   [2] puedo dar testimonio de ello : puedo decir que es verdad

6. Pronto (se cayó, se hizo, se oyó) Anguila popular en el tren.
7. Al perder su billete, las mujeres lo (lloraron, ayudaron, decidieron).
8. Al llegar a Madrid, se tiró al agua y lo (hicieron, duraron, salvaron).
9. Un conde le pagó el billete para (volver, venir, subir) a Avilés.
10. La historia del suicidio de Anguila (da, hace, tiene) reír a todo el mundo.

II. Series — Memorize the series. Change it to the first person singular in the tenses the class has studied.

Anguila era un golfo.	Escogió un coche de tercera clase.
Quiso visitar a Madrid.	Prestó servicios a todo el mundo.
Salió de Avilés.	Pronto se hizo muy popular con la
Llegó a Oviedo.	gente.
Luego tomó el tren para Madrid.	Hizo saber a todos que iba a Madrid.
	Recibió de ellos algo de comer y beber.

Asomado a la ventanilla, lanzó un grito.
Comenzó a llorar lleno de angustia.
Repetía: « ¡ Se me cayó el billete ! ».
Por fin fue ocultado entre las faldas de las mujeres.
Así llegó a Madrid.

AURAL–ORAL PRACTICE

PREGUNTAS 1. ¿ Qué clase de muchacho era Anguila ? 2. ¿ Con qué cogían los chicos las monedas arrojadas al agua ? 3. ¿ Dónde ganó Anguila la respetable suma de ocho duros ? 4. ¿ Qué atrevido proyecto concibió ? 5. ¿ Qué clase de coche escogió en el tren ? 6. ¿ Con qué se captó las simpatías de la gente ? 7. ¿ Qué dijo que había perdido ? 8. ¿ Por qué medio llegó a Madrid ? 9. ¿ Por qué se tiró al estanque ? 10. ¿ Qué recibió después de ser salvado ? 11. ¿ Quién le compró el billete para Avilés ? 12. ¿ Qué hace para hacer reír a sus amigos de Avilés ?

13. ¿ Le gustó a usted Anguila como personaje ? 14. ¿ Encuentra usted interesante un tipo como Anguila ? 15. ¿ Hay muchachos como Anguila donde vive usted ? 16. ¿ Conoce personalmente a un muchacho como Anguila ? 17. ¿ A quién le gustaría llevar la vida de Anguila ?

ORAL COMPOSITION — The members of the class will describe Anguila's suicide, mentioning the following points:

His visit to el Retiro — his plan to get some money — choice of place — his attempt to drown — the rescue — his reason for trying to kill himself — the money he received — the count's card — his return to Aviles.

La pared

VICENTE BLASCO IBÁÑEZ [1]

Siempre que los nietos del tío Rabosa se encontraban con
los hijos de la viuda de Casporra, en los caminos de la
huerta o en las calles de Campanar, todos los vecinos hablaban del suceso. ¡ Se habían visto ! ¡ Se insultaban con
5 el gesto ! ¡ Aquello acabaría mal ! El día menos pensado
el pueblo sufriría un nuevo disgusto.

El alcalde y los vecinos más notables predicaban [2] paz a
los jóvenes de las dos familias enemigas. A sus casas iba
el cura, un viejo muy bueno, aconsejando el olvido del
10 pasado.

---

[1] Vicente Blasco Ibáñez (1867–1928), uno de los principales representantes de la
novela española   [2] predicaban : hablaban de

Hacía treinta años que [1] los odios de los Rabosas y Casporras traían revuelto a Campanar,[2] casi a las puertas de Valencia. Habían sido grandes amigos en otro tiempo; [3] y sus casas se unían por los corrales, separados únicamente por una pared baja. Pero una noche, por cuestión de riego, un Casporra mató de un tiro en la huerta, a un hijo del tío Rabosa; y el hijo menor de éste, para que no se dijera que [4] en la familia no quedaban hombres, mató después de un mes de vela,[5] al matador de su hermano.

Desde entonces las dos familias solamente vivían para acabar la una con la otra, pensando más en aprovechar los descuidos del vecino que en el cuidado de sus tierras.

Después de treinta años de lucha, en casa de los Casporras sólo quedaba una viuda con tres hijos jóvenes que parecían torres de fuerza. En la otra estaba el tío Rabosa, con sus ochenta años, fijo en un sillón, con las piernas paralizadas, como un viejo ídolo de la venganza, ante el cual juraban sus dos nietos defender el honor de la familia.

Pero los tiempos habían cambiado. Ya no era posible andar a tiros [6] como sus padres en plena plaza [7] a la salida de misa mayor. La policía no les perdía de vista,[a] y los vecinos los vigilaban de continuo,[8] temiendo que se repitieran las escenas de sangre. Cansados de esta vigilancia, los Casporras y los Rabosas terminaron por no buscarse. Hasta huían cuando el acaso les ponía cara a cara. Tanto fue el deseo de apartarse y no verse que les pareció baja la pared que separaba sus corrales. Mientras las aves de las dos familias subían por los montones de leña [9] y se hacían amigas en lo alto, las mujeres de las dos casas cambiaban desde las ventanas gestos de desprecio. Aquello no podía

---

[1] hacía treinta años que : durante los últimos treinta años   [2] traían revuelto a Campanar : tenían a Campanar en agitación   [3] en otro tiempo : en tiempos pasados   [4] para que no se dijera que : para no dejar decir a la gente que   [5] de vela : de vigilancia   [6] a tiros : con armas de fuego   [7] en plena plaza : en la plaza llena de gente   [8] de continuo : siempre, a cada hora   [9] la leña : madera para quemar

sufrirse. Era como vivir en familia; y la viuda de Casporra hizo levantar más la pared. Y así, con esta muda y repetida manifestación de odio, la pared fue subiendo y subiendo.[1]

5 Así pasó algún tiempo para las dos familias, sin atacarse como en otra época, pero sin acercarse, firmes como siempre en su odio.

Una tarde tocaron a fuego las campanas [2] del pueblo. Se quemaba la casa del tío Rabosa. Los nietos estaban en
10 la huerta; la mujer de uno de ellos en el campo; en la casa sólo había el tío Rabosa, y por las aberturas de puertas y ventanas salía un humo denso como de cosas quemadas. Dentro, el pobre viejo, inmóvil, fijo en su silla. La nieta llegó y se tiraba los cabellos. La gente se juntaba en la
15 calle, asustada por la violencia del fuego. Algunos más valientes abrieron la puerta, pero fue para volver atrás ante la bocanada de denso humo, cargado de chispas, que se esparció por la calle.

— ¡ El abuelo ! ¡ El abuelo ! — gritaba la nieta vol-
20 viendo en vano la mirada en busca de alguien que lo salvara.

Los asustados vecinos se quedaron mudos de sorpresa al ver tres jóvenes que entraban corriendo en la ardiente casa. Eran los Casporras. Se habían mirado, cambiando una
25 señal de inteligencia, y sin más palabras se arrojaron como salamandras en la enorme hoguera. La multitud los aplaudió al verlos aparecer llevando en alto, como a un santo, al tío Rabosa en su silla. Ellos abandonaron al viejo sin mirarle siquiera [3] y se fueron otra vez adentro.
30 — ¡ No, no ! — gritaba la gente.

Pero ellos seguían adelante [4] sonriendo. Iban a salvar

---

[1] fue subiendo y subiendo : continuó subiendo   [2] tocaron a fuego las campanas : las campanas anunciaron un fuego   [3] sin mirarle siquiera : sin aun mirarle   [4] seguían adelante : continuaban

algo de los intereses de sus enemigos. Si los nietos del
tío Rabosa estuvieran allí,[1] ni se habrían movido ellos de
casa. Pero se trataba de [b] un pobre viejo, al que debía ayudar todo hombre de corazón. La gente los veía tan pronto
en la calle como dentro de la casa, buscando en el humo, 5
sacudiendo las chispas como inquietos demonios, arrojando
muebles y sacos para volver a meterse entre las llamas.
Lanzó un grito la multitud al ver a los dos hermanos
mayores sacando al menor en brazos. Una viga al caer,
le había roto una pierna. 10

— ¡ Pronto, una silla !

La gente, en su prisa, arrancó al viejo Rabosa de la suya
para sentar en ella al herido.

El muchacho, con el pelo quemado y la cara llena de
humo, sonreía, ocultando los agudos dolores que sentía y 15
que le hacían apretar los labios. Sintió que unas manos
que temblaban, unas manos marcadas por la vejez,[2]
apretaban las suyas.

— ¡ Hijo mío ! ¡ Hijo mío ! — exclamaba el tío
Rabosa, quien se había arrastrado hasta él. 20

Y antes que el pobre muchacho pudiera evitarlo,[3] el
paralítico buscó con su boca sin dientes las manos que
tenía sujetas y las besó. Las besó un gran número de veces,
bañándolas con lágrimas.

Ardió toda la casa. Y cuando los trabajadores fueron 25
llamados para construir otra, los nietos del tío Rabosa no
les dejaron comenzar a limpiar el terreno, cubierto de
negras ruinas. Antes tenían que hacer ellos un trabajo más
urgente: derribar [4] la pared maldita.

Y, tomando el pico, ellos mismos dieron los primeros 30
golpes.

---

[1] si los nietos del tío Rabosa estuvieran allí : con los nietos del tío Rabosa allí
[2] la vejez : el ser viejo   [3] antes . . . evitarlo : antes de poder impedirlo   [4] derribar :
echar abajo

IDIOMS

a) *perder de vista*   to lose sight of
b) *tratarse de*   to be a question of, deal with

WORD STUDY

I. What English words and meaning do you recognize from *sufrir, terminar, separar, enorme, la multitud, aplaudir, la ruina*? Find more words of the same kind in the text.

II. Match the meaning of the first group of words with those of the second:
   la pared, el suceso, aconsejar, el matador, la lucha, la sangre, el nieto, el humo, la señal, aplaudir, el brazo, el dolor
   to applaud, killer, arm, signal, smoke, pain, wall, to advise, the struggle, grandson, event, blood

COMPREHENSION

I. Correct the following ideas if they are false.
   1. Todos los vecinos hablaban de las familias Rabosa y Casporra.
   2. Los vecinos predicaban paz a las dos familias.
   3. Las dos familias habían sido grandes amigos.
   4. Un Casporra no mató a un hijo del tío Rabosa.
   5. Desde entonces las dos familias vivían para quererse.
   6. La policía los perdía de vista.
   7. Una tarde tocaron a fuego las campanas del pueblo.
   8. Se quemaba la casa del tío Rabosa.
   9. Los Casporras salvaron al tío Rabosa.
   10. Las dos familias derribaron la pared maldita.

II. Complete the following sentences according to the text of the story.
   1. Todos aconsejaban paz a . . . 2. Los odios de las dos familias duraron . . . 3. La viuda de Casporra hizo levantar . . . 4. Una tarde se quemaba la casa del . . . 5. La nieta miraba a la gente en busca de . . . 6. La gente aplaudió . . . 7. Antes de construir otra casa, los nietos del tío Rabosa . . .

AURAL–ORAL PRACTICE

PREGUNTAS 1. ¿Quiénes eran enemigos en la huerta? 2. ¿Por cuánto tiempo se habían odiado las familias Rabosa y Casporra? 3. ¿Qué separaba las dos casas? 4. ¿Qué ocurrió una noche por cuestión del riego? 5. Desde aquella noche, ¿cuántos años duró la lucha? 6. ¿Quién era el tío Rabosa? 7. ¿Qué ocurrió una tarde? 8. ¿Dónde estaba el tío Rabosa? 9. ¿Quiénes entraron en la casa que ardía? 10. ¿Qué pasó al menor de los hermanos? 11. ¿Cómo mostró el tío Rabosa su gratitud al menor? 12. ¿Por qué se derribó la pared?

13. ¿Le gustaría vivir en un pueblo pequeño como Campanar? 14. ¿Hay con frecuencia rivalidades en un pueblo pequeño? 15. ¿Le gustaría pasar las vacaciones en un pueblo de España? 16. ¿Es la vida en un pueblo fácil o difícil para los habitantes? 17. ¿Cuándo es un pueblo más atractivo, en verano o en invierno?

ORAL COMPOSITION — Offer special credit to the student who writes a dramatization of the Fire Scene to be acted before the class.

Actors: The granddaughter, uncle Rabosa, the Casporra brothers, onlookers (the class).

ABBREVIATIONS

1. The vocabulary is complete except for the footnotes.
2. A dash (—) indicates the title words.
3. (ie), (i), (uo), (ue), (u) indicate stem changes in radical-changing verbs.

adj.	adjective
adv.	adverb
contr.	contrary
f.	feminine
imper.	imperative
ind. pron.	indefinite pronoun
inf.	infinitive
p.p.	past participle
pl.	plural
prep.	preposition
pres. part.	present participle
syn.	synonym

VOCABULARY

A

a to, at; — la izquierda to the left; — menudo often; — las siete at seven o'clock
abajo down, below
abandonar to abandon, desert, leave
la abertura opening, crack
abierto, -a open
el abogado lawyer
abrazado, -a clasped, embraced, in each other's arms
abrazar(se) to embrace, hug
el abrazo embrace, accolade, hug
abrigado, -a clothed, clad; protected
el abrigo overcoat; — de pieles fur coat
abrir to open; al —, on (upon) opening; *contr.* cerrar
absoluto, -a absolute; absolutely; en —, absolutely
la abuela grandmother
el abuelo grandfather
abundante abundant
aburrirse de to be bored with
el abuso abuse
acabar to finish, end; — con to put an end to; — de salir to have just left; Acabo de ver. I have just seen. Acababa de ver. I had just seen.
acaso perhaps, by chance

el acaso chance
el accidente accident
la acción action; share; deed
aceptar to accept
acerca de about, concerning
acercarse (a) to approach, come near
el acero steel
acompañar to accompany, go with
aconsejar to advise, counsel
acordarse (ue) (de) to remember
acostado, -a lying
acostar (ue) to put to bed; —se to go to bed, retire
acostumbrado, -a customary, usual; used to, accustomed to
acostumbrar to be accustomed
la actitud attitude
la actividad activity
activo, -a active
el acto act, deed
el actor actor
actual present
actualmente at present
acudir to come (to the rescue)
el acuerdo agreement
acusar to accuse
adelantar to progress, advance; —se advance, move forward
adelante forward
además (de) besides
adentro inside, within

197

adivinar to guess
administrar to manage
la admiración admiration
admirar to admire
adoptar to adopt
la adoración adoration
adorar to worship, adore
adornado, -a adorned
la afeitada shave
afeitar, —se to shave
afeminado, -a effeminate
afirmar to affirm, state
la aflicción affliction
afuera outside
ágil spry, nimble, agile
la agitación excitement
agitado, -a excited
agitar to move; wave
la agonía agony
agotado, -a exhausted
agradable pleasant
agradar to please, like
agradecer to be grateful (for),
    appreciate; —le a uno una
    cosa thank a person for
    something
el agradecimiento gratefulness,
    appreciation
agrícola agricultural
el agua f. water
agudo, -a sharp, acute
Agustín Augustine
¡ ah ! oh !
ahí there; contr. aquí
ahogar to choke; drown
ahora now; — mismo right
    now; de — en adelante
    from now on
el aire air; al — libre in the
    open, outdoors
ajeno, -a another's, some-
    one else's
al (a + el) to the; al + inf.
    upon or on + pres. part.

la alabanza praise
    alabar to praise; —se praise
    oneself
el albañil mason
    Alberto Albert
el alcalde mayor
    alcanzar to reach, attain
    alegrar to cheer, brighten,
    enliven, gladden; —se (de)
    to be glad (to)
    alegre cheerful, glad, happy
la alegría joy, delight
    alejarse to go away; move
    away
    Alfonso Alphonse
    Alfredo Alfred
    algo something; — de comer
    (beber) something to eat
    (drink)
el algodón cotton
    alguien somebody, someone
    algún, alguno, -a some; any;
    pl. some, several; contr.
    ninguno
el alma f. soul
la almendra almond
    almorzar (ue) to take lunch
    alquilar to rent
el alquiler rent
    alrededor: — de around
los alrededores surroundings; a
    mis —, around me
el altar altar; — mayor high
    altar
    alto, -a high; loud; en voz
    alta aloud, in a loud voice
    ¡ alto ! stop !
    alumbrado, -a lighted, lit
    alumbrar to light up, light
el alumno, la alumna pupil
    allá there
    allí there; por —, nearby;
    — cerca near there
el ama f. housekeeper; owner

amable amiable, nice, pleasant;
— con kind to
amar to love
amargamente bitterly
amargo, –a bitter
la amargura bitterness
amarillo, –a yellow
ambicioso, –a ambitious;
  greedy
el ambiente atmosphere
ambos, –as both
amenazador, –a menacing
América America
el amigo, la amiga friend; *contr.*
  el enemigo, la enemiga
la amistad friendship
el amo master, boss, owner *syn.*
  el dueño
el amor love; los —es love
  affairs; preferences; — con
  — se paga tit for tat
anciano, –a old (person)
la anciana old lady
andaluz, –a Andalusian
el andaluz Andalusian
andar to walk, go; be; *syn.*
  caminar
Andrés Andrew
la anécdota anecdote
el ángel angel
la anguila eel
la angustia anguish, distress, grief
la animación movement; life
el animal animal
animar to encourage, inspire
el ánimo courage; spirit
la ansiedad anxiety
ansioso, –a anxious
ante before (*place*)
anterior former, preceding
antes before; — de before
  (*time*); — (que) before;
  cuanto —, as soon as possible; *contr.* después

antiguo, –a old, ancient
el antiséptico antiseptic
Antonio Anthony
anunciar to announce
el anuncio notice, advertisement
añadir to add
el año year
aparecer (zco, –a) to appear
la aparición ghost
apartado, –a out of the way,
  remote
apartarse to withdraw; turn
  aside
apenas scarcely, hardly
el apetito appetite
aplaudir to applaud
aplicado, –a studious, dili-
  gent; applied
apoderarse de to take pos-
  session of; take hold of,
  seize
apreciar to appreciate
apretar (ie) to tighten, press,
  grip, hold on, clasp, squeeze
aprovechar, —se de to take
  advantage of
apurado, –a critical; troubled
apurar to hasten
aquel (aquella, aquellos,
  aquellas) that, those
aquello that
aquí here
árabe Arab, Arabic
el árbol tree
arder to burn
ardiente burning
argentino, –a Argentine
armado, –a armed
las armas arms; — de fuego
  firearms
armonioso, –a harmonious,
  melodious
el aro hoop; — de barril
  barrel hoop

arrancar to snatch; tear away, pull out

arrastrar(se) to drag (oneself), crawl; draw, pull

arreglado, –a regular; fixed, orderly

arreglar to settle, fix, prepare

arriba upstairs, upward

arrojar to throw; —se throw oneself, dash

el arroyo brook

el arte art

artificial artificial

Arturo Arthur

el asaltante assailant, holdup man

asegurar to assure

el asesino murderer, assassin

así so, thus, like this; — que as soon as

el asiento seat

el asilo asylum, orphan asylum

el asistente orderly; valet

asistir a to attend

asomado, –a leaning out of

asomarse to appear, look out of

asombrado, –a astonished, surprised

asombrar to amaze, astound

el asombro amazement, astonishment, wonder

el aspecto aspect, appearance, air

Asturias *region in the north of Spain*

el asunto affair, matter

asustado, –a scared, frightened

asustar to frighten, scare; —se become frightened

atacar to attack

atado, –a tied

el ataque attack

la atención attention

atender(ie) to attend; listen; — a heed

aterrado, –a terrified

la atracción charm, attraction

atractivo, –a attractive

el atractivo charm

atraer to attract, interest

atrás behind, back, backward

atreverse to dare; nadie se atreve a (hablar) nobody dares to (speak)

atrevido, –a daring

aumentar to increase

aun, aún even; still, yet

aunque although

Aurora Aurora

la ausencia absence

el auto auto

automático, –a automatic

el automóvil automobile

el autor, la —a author

avanzar to advance

el avaro miser

el ave *f.* bird, fowl

la aventura adventure

el aventurero adventurer

avergonzar to shame

Avilés *small city in Asturias*

el avión plane, airplane

ayer yesterday

la ayuda help, aid

ayudar to help

azul blue

B

¡ bah ! nonsense ! bah!

bailar to dance

el baile dance

la bajada slope

bajar(se) to go down; get off, come down; lower

bajo, –a low; soft; bowed

bajo *prep.* under

la bala bullet

el banco bank; bench

la banda band, group
el bandido bandit, outlaw
el banquero banker
bañar to bathe
el baño bath
la baranda rail, railing
barato, –a cheap; *contr.* caro
la barba beard
la barbería barbershop
el barbero barber
el barco boat
la barrera barrier, fence
el barril barrel
el barrio district, zone
el barro mud
la base basis, base
Basilio Basil
bastante enough; *adv.* quite, very
la batalla battle; *syn.* la lucha
beber to drink
Belén Bethlehem
la belleza beauty
bello, –a beautiful
la bendición benediction, blessing
el beneficio advantage, benefit
Benito Benedict
besar to kiss
el beso kiss
bien well; quite; very; más —, rather; muy —, very well, very good
el bien good, benefit; happiness
el billete ticket; bill, bank note
el bizcocho cake
blanco, –a white
blando, –a soft
la blusa blouse
la boca mouth
la bocanada puff of smoke, gust
la bolsa bag; purse; — de cuero leather bag
el bolsillo pocket

el bombón bonbon
la bondad goodness; kindness; tenga la — de + *inf.* please + *imper.*
bondadoso, –a kind, good-natured
bonito, –a pretty; nice; *contr.* feo
el bosque woods, forest
el bote rowboat
la bóveda vault, underground chamber
el brazalete bracelet
el brazo arm; en —s in one's arms
breve brief, short
brillante brilliant
brillar to shine
la broma joke
el bronce bronze
buen(o), –a good; well; *contr.* malo
la bujía candle
el buque boat, ship
burlarse (de) to make fun of, mock
el burro donkey, jackass
la busca search
buscar to look for, seek, search; mandar —, send for; —se seek one another, look for one another

C

el caballero gentleman
el caballo horse
el cabello hair
la cabeza head; de pies a —, from head to foot
el cabo end; al —, finally; al — de at the end of
cada each, every; — vez más more and more

el **cadáver** dead body, corpse
caer(se) to fall
el **café** coffee; café, restaurant
la **caída** fall; — de nieve snow-
fall
caído p.p. of caer
la **caja** box; cashier
la **cajita** small box
el **cajón** drawer; — de abajo
lower drawer
la **calidad** quality
caliente hot
la **calma** calmness, tranquillity,
composure; peace
calmar to ease, calm, comfort
el **calor** heat
callado, -a silent, mute
callar to be silent
la **calle** street
la **cama** bed
el **camarada** comrade, companion
el **camarero** waiter
cambiar to change; exchange;
— de posición change position
el **cambio** change; exchange;
en —, on the other hand
caminar to walk, go
el **camino** road, way; walk
la **camisa** shirt
la **campana** bell
la **campaña** campaign
el **campeón** champion
el **campesino** farmer, country-
man, peasant
el **campo** country; field
la **canasta** basket
el **candelero** candlestick
cansado, -a tired
el **cansancio** fatigue, tiredness,
weariness
cansarse to get tired

el **Cantábrico** Cantabric Sea, *in
the north of Spain*
cantar to sing
la **cantidad** quantity; sum
el **canto** song
la **caña** cane
la **capa** cape
Caperucita roja Red Riding
Hood
el **capital** capital, money
el **capitán** captain
el **capricho** whim, caprice
caprichoso, -a capricious,
willful, whimsical
captarse to capture for oneself
la **cara** face
el **carácter** character
¡ **caramba** ! Great Scott!
Confounded !
el **caramelo** caramel
el **carbón** coal
la **cárcel** prison
la **carga** load, burden
cargado, -a loaded; full
cargar to load; carry
el **cargo** charge, care
la **caricia** caress
la **caridad** charity
el **cariño** affection, love
cariñoso, -a affectionate, lov-
ing
Carlos Charles
el **carnaval** carnival
la **carne** meat
caro, -a dear
la **carpintería** carpenter's shop
el **carpintero** carpenter
el **carro** cart, car
la **carta** letter
la **cartera** wallet
el **cartón** cardboard, pasteboard
la **casa** house, home; a —, home,
homeward; — comercial
business house; — de so-

corro first aid station; **en —, (at) home; volver para —,** to return home
casarse to marry
casi almost
la **casita** small house
el **caso** case; **hacer —,** to pay attention
castigar to punish
el **castigo** punishment
el **castillo** castle
Cataluña Catalonia, *region in northeast Spain; its chief city is Barcelona*
la **catástrofe** catastrophe, disaster
la **catedral** cathedral
catorce fourteen
la **causa** cause, reason; **a — de** on account of, because of
causar to cause, produce
la **cebra** zebra
celebrar to celebrate
célebre celebrated, famous
la **cena** supper
el **centavo** cent, penny
el **céntimo** centime, $\frac{1}{100}$ of a peseta
el **centinela** sentinel
el **centro** center
cerca near, nearby; **— de** near; *contr.* **— de, lejos de**
cercano, -a near, close
cero zero
cerrado, -a closed
cerrar (ie) to close, shut; **— con llave** lock; *contr.* **abrir**
ciego, -a blind
el **cielo** sky; heaven; **¡—s!** Heavens!
la **ciencia** science
cien(to) one hundred
cierto, -a certain
el **cigarrillo** cigarette

cinco five
cincuenta fifty
el **cine** movie
la **cintura** waist
la **cita** appointment, "date"
la **ciudad** city; **por la —,** in the city; *contr.* **el campo**
la **claridad** light, brightness, brilliance
claro, -a clear, light; **claro = por supuesto** of course; **¡claro que!** of course!; surely!
la **clase** class, kind; quality; **toda — de abusos** all kinds of abuse
clavarse to stick
el **cloroformo** chloroform
el **club** club, society
el **cobarde** coward
cobrar to charge; collect, get paid
el **cobre** copper
el **cobro** collection, payment
el **coche** coach, carriage; car
coger (jo, -a) to catch, seize, pick (up), take, take hold of
el **colchón** mattress
la **colección** collection
el **colega** colleague
el **colegio** school, academy
colgado, -a hanging
colgar (ue) to hang
el **colmo** limit; height
colocar to place
el **color** color; **¿de qué — es?** What color is it?
el **collar** necklace; **— de perlas** pearl necklace
el **combate** fight, battle, combat
el **comedor** dining room
comentar to comment (on)
comenzar (ie) to begin; **— a**

begin to; — a dar begin to give; *syn.* principiar

comer to eat; dar de — a feed; —se eat up

comercial commercial

el comercio business; la casa de —, business house

cometer to make, commit

la comida meal; food

como as, as if, like; — de costumbre as usual

¿ cómo ? how?

la cómoda bureau, chest of drawers

cómodo, –a comfortable

compadecido, –a feeling sorry

la compañera companion, mate

el compañero companion, pal, friend; — de viaje travelling companion

la compañía company; regiment

comparar to compare

la compasión pity, compassion

compensar to compensate

competir (i) to compete

complacer (zco, –a) to please, humor

completamente entirely, completely

completar to complete

completo, –a complete; por —, completely

componer to fix; —se de comprise, consist of

la compra purchase

comprar to buy; —se buy for oneself; *contr.* vender

comprender to understand; comprise, consist of; *syn.* entender

el compromiso obligation

la comunicación communication

comunicar to communicate, tell

con with

concebir to conceive

la conciencia conscience

concluir to conclude, finish

el conde count

condescender to condescend

la condición condition

conducir (zco, –a) to lead; —se behave

la conducta deportment, conduct

el conductor driver

la conferencia lecture

confesar (ie) to confess

el confeti confetti

confiar en to trust, confide

la confusión confusion

confuso, –a confused; vague

el Congreso Congress

el conjunto combination, group

conmigo with me

conocer (zco, –a) to know

conque so then

la conquista conquest

conseguir (i) to obtain, get; *syn.* obtener

el consejo advice, counsel

conservar to keep

consolar (ue) to comfort, console

constantemente constantly

la construcción construction

construir to build, construct

el consuelo consolation

el cónsul consul

el consultorio office (*doctor's*)

contar (ue) to tell, say, relate; count

contener to contain

contento, –a glad, pleased, happy; *contr.* triste

el contento satisfaction, joy

la contestación answer
contestar to answer; *contr.*
preguntar
contigo with you
continuamente continually
continuar (ú) to continue
(on); — persiguiendo
continue pursuing
continuo, -a continuous
contra against
contrario, -a contrary, opposite; al —, on the contrary
la convalecencia convalescence
convencer (zo, -a) to convince; —se become convinced
conveniente fit, suitable, proper, convenient; profitable
el convento convent, monastery
la conversación conversation, talk
conversar to converse, chat
convidar to invite
la convulsión fit, convulsion
copiar to copy
el copo flake; — de nieve snowflake
el corazón heart
el cordero lamb
el coronel colonel
el corral yard, back yard
la correa strap
el corredor hall
corregir (jo, -a) to correct
correr to run
cortar to cut, cut off
el corte de pelo haircut
el cortesano courtier
la cortesía courtesy
corto, -a short
la cosa thing
coser to sew
costar (ue) to cost

la costumbre custom, habit; como de —, as usual
craso, -a gross, crass
crecer (zco, -a) to grow
creer to believe; think
la crema cream
el criado, la criada servant, maid
criar (í) to raise
la criatura child, baby, creature
el criminal criminal
la crisis crisis
el cristal crystal; window pane
el cristiano Christian
Cristo *m.* Christ
Cristóbal Christopher
el crítico critic
el cruce crossroad
cruel cruel; ferocious
la crueldad cruelty; ferociousness
cruzar to cross
el cuaderno notebook
el cuadro picture; *syn.* la pintura
¿ cuál? (*pron.*) what ?, which ?
el cual who, which
la cualidad quality
cualquier(a) any; de cualquier manera anyway, anyhow, in any case
cuando when
¿ cuándo? when ?
cuanto, -a as much; unos —s a few, some
cuanto *adv.* how much; — antes as soon as possible
¿ cuánto, -a? how much? ; *pl.* how many ?
cuarenta forty
cuarto, -a fourth
el cuarto room
cuatro four
cuatrocientos, -as four hundred
cubierto, -a covered
cubierto *p.p. of* cubrir

cubrir to cover; —se cover oneself
la cuchara spoon
la cuchillada stab
el cuchillo knife
el cuello collar; neck
la cuenta bill, check
el, la cuentista short story writer
el cuento story
la cuerda rope
el cuero leather
el cuerpo body; object
la cuestión matter, question; quarrel
el cuidado care; Pierda — = No tenga —. Don't worry. cuidado, -a cared for
cuidadoso, -a careful
cuidar to take care (of)
la culpa fault
el cumplido praise, compliment
el cumplimiento compliment
cumplir to fulfill; complete; — con comply with; — (con) su deber fulfill one's duty
el cura priest
curar to cure; —se get well, cure oneself
la curiosidad curiosity
curioso, -a curious, strange, intrigued
Currito Frankie
Curro Frank
el curso course; session, term
cuyo, -a whose

CH

la chaqueta jacket
charlar to chat
el chelín shilling
la chica child; girl, young lady; ¡chica! my dear!

el chico child; boy
la chimenea fireplace, hearth
el chiquillo child, small boy
la chispa spark

D

la dama lady
danés, -esa Danish
dar to give; strike; utter; cause; — de comer feed; — las gracias (a) thank; — miedo a frighten, scare; — palmadas clap, applaud; — un grito utter a cry; — un paseo take a ride, walk; — una vuelta turn around, take a stroll; — unas vueltas walk about; Dio la una. It struck one.; —se bump; —se cuenta de realize, notice; —se la mano shake hands; contr. recibir
de of; in; by; from; with; ¿— quién? whose?
debajo (de) under, beneath
deber to have to, must, ought, should; owe; Debe de ser. It must be. It is probably.
el deber duty, task
débil weak; soft; dull; contr. fuerte
decidir, —se (a) to decide; — ir a ver decide to go and see; — or —se a abandonar decide to leave
décimo, -a tenth
decir to say, tell; talk; es —, that is; querer —, mean; dígame tell me
declarar to declare
la decoración decoration, ornament
decorativo, -a decorative

el **dedo** finger
defender(se) (**ie**) to defend (oneself)
la **defensa** defense
el **defensor** defender
dejar to leave; let; —se caer let oneself fall
del (**de** + **el**) of the
delante de in front of, before; *contr.* detrás de
delantero, –a front
delgado, –a thin
delicado, –a delicate
delicioso, –a delightful; tasty
el **delirio** delirium; fit
demás: los —, las —, the others, the rest
demasiado *adv.* too, too much
el **demonio** devil
denso, –a thick, dense
dentro *adv.* inside; *contr.* fuera
dentro de, within, inside of
depender (**de**) to depend (on)
deportivo, –a sport
derecho, –a right; a la derecha to the right
el **derecho** right
el **derivado** derivative
derivar to derive
la **derrota** rout, flight
desafiar (**í**) to defy, threaten
desaparecer (**zco, –a**) to disappear
desatar to loosen, untie
descansar to rest
el **descanso** rest
la **descarga** shot
la **descripción** description
descrito, –a described
descubierto, –a discovered
descubrir to discover
el **descuento** discount
el **descuido** carelessness, neglect

desde (**que**) from, since; — entonces from then on; — mañana from tomorrow on
desear to wish, desire
desechar to throw away; discard
el **deseo** desire, wish
la **desesperación** despair, desperation
desesperado, –a desperate, in despair
el **desesperado** desperate person, fellow in despair
la **desgracia** misfortune; **por** —, unfortunately
desierto, –a deserted
el **desmayo** faint, swoon, fit
desocupado, –a vacant
despacio slowly
el **despacho** office
despedirse (**i**) to take leave
despertar (**ie**) to awaken; —se wake (up)
despierto, –a awake
el **desprecio** scorn
después afterwards, after, then; *contr.* antes; — de *prep.* after; *contr.* antes de
destruir to destroy
el **detalle** detail
detener(se) to stop
detrás *adv.* behind
detrás de behind, in back (of); por —, in the back
la **deuda** debt
devastador, –a devastating
la **devoción** devotion, love
devolver (**ue**) to return, give back
devorar devour, eat up
devoto, –a devout; devoted
devuelto *p.p. of* devolver
el **día** day; a los pocos —s

after a few days; **ocho —s**
a week
el **diablo** devil
el **diamante** diamond
diario, –a daily
el **diario** diary
dibujar to draw
el **diccionario** dictionary
la **dicha** happiness
dicho *p.p. of* **decir**
dichoso, –a happy
el **diente** tooth
diez ten
diferente different
difícil difficult, hard
la **dificultad** difficulty
dígame tell me
la **dignidad** dignity
el **dinero** money; price
Dios *m.* God; ¡ — **mío!**
Heavens!; **Niño —,** Christ
Child
la **dirección** address
directo, –a direct
el **director** boss; manager
dirigir (jo, –a) to guide;
—se address; go, direct
oneself, make one's way
el **discípulo** pupil
la **discusión** discussion
el **disgusto** unpleasantness, an-
noyance, displeasure; quarrel
disimular to conceal, hide
disparar to shoot
disponerse **a** + *inf.* to get
ready + *inf.*
dispuesto, –a ready
la **distancia** distance
distinguirse to distinguish
oneself, stand out
el **distrito** district, zone
divertir (ie) to amuse, entertain; **—se** enjoy oneself,

have a good time; *syn.*
entretener
la **división** division
doblar to fold; double
doce twelve
la **docena** dozen
el **doctor** doctor; *syn.* el **médico**
el **documento** document
el **dólar** dollar
doler (ue) to hurt, ache, pain;
grieve, distress
el **dolor** ache, pain; sorrow, grief
doméstico, –a domestic
dominar to rule, dominate
el **domingo** Sunday
el **dominio** dominion
don (*used only before given
masculine names and not translated into English*)
donde where
¿**dónde?** where?
doña (*used before given feminine
names and not translated into
English*)
dormido, –a asleep
dormir (ue) to sleep; **hacer
—,** to make one sleep; **—se**
fall asleep; *contr.* **—se, despertarse**
dos two
doscientos, –as two hundred
el **dragón** dragon
dramático, –a dramatic
la **duda** doubt, uncertainty; **sin
—, without doubt**
dudar (de) to doubt, hesitate
el **duelo** mourning
la **dueña** owner
el **dueño** master, owner, proprietor
dulce sweet
el **dulce** candy; **los —s** candy
la **dulzura** sweetness, gentleness
durante during

durar to last
duro, –a hard; harsh; firm; rough
el **duro** Spanish dollar

E

e and (*before* **i** *or* **hi**)
el **eco** echo
económico, –a economic, economical
echado, –a stretched out, lying down
echar to throw, send forth; — a **correr** = **empezar a correr** begin to run; — a **perder** ruin, spoil; — **atrás** force back; —**se** lie down
la **edad** age
Eduardo Edward
el **efecto** effect; **en** —, in fact, as a matter of fact, actually
¡ **eh**! **eh**!
el **ejemplar** copy
el **ejemplo** example; **por** —, for example
el **ejercicio** exercise, work; **hacer** —, to exercise
el **ejército** army
él he, him
electrónico, –a electronic
elegante elegant, smart
la **elocuencia** eloquence
ella she, her
ello it
ellos, –as they, them
embargo: sin —, however, nevertheless
la **emoción** emotion, feeling, excitement
emocionado, –a moved, stirred
empezar (**ie**) to begin; — a

esquilarlo begin to shear it; *contr.* **acabar**
el **empleado** employee
emplear to employ, use
el **empleo** employment, job
emprender to undertake, try
en in, on, at; for
el **encaje** lace
encantado, –a delighted; yes indeed
el **encanto** charm
encargado, –a in charge of
el **encargo** errand
encender(se) (**ie**) to light
encima on oneself; — **de** on top of; **por** — **de** over, above
encogerse (**jo, –a**) to shrink; shrug; — **de hombros** shrug one's shoulders
encontrar (**ue**) to meet; find; —**se** be found; find oneself; —**se con** meet (with), encounter, come upon; face; *syn.* **hallar**; *contr.* **perder**
enemigo, –a enemy, hostile
la **energía** vigor, force, energy
enérgico, –a energetic, active
enfermarse to become sick
la **enfermedad** sickness
la **enfermera** nurse
el **enfermero** male nurse, attendant
enfermo, –a sick; **el** —, **la enferma** sick person; *contr.* **bueno**
enfrente *adv.* across the street
engañar to deceive, fool
enojarse to get angry
enorme enormous, tremendous
Enrique Henry
la **ensalada** salad
la **enseñanza** teaching; **el in-**

spector general de —, inspector general of education
enseñar to teach; show; *contr.* aprender
entender (ie) to understand; —se understand each other *or* one another; *syn.* comprender
enterado, –a informed
enterarse (de) to find out, be informed of
entero, –a entire, whole
enterrar to bury
entonces then; pues —, well then
entrar to enter; — en un restaurante enter a restaurant; *contr.* salir
entre between, among
entregar to deliver; give, hand over
el entremés appetizer, hors d'oeuvre
entretanto in the meantime, meanwhile
entretener to entertain
el entusiasmo enthusiasm
enviar (í) to send
la envidia envy
envolver(se) (ue) to wrap up; ¿ Se lo envuelvo ? Shall I wrap it up ?
envuelto *p.p. of* envolver
el episodio episode
la época period, time
equivocarse to be wrong, make a mistake
el error error, mistake
el erudito scholar, savant
la escalera stairs, stairway
el escalón step (of stairs)
escandalizado, –a irritated, angered
el escándalo scandal; uproar

escapar(se) to escape, leave, run away
el escaparate showcase, show window
la escena scene
el esclavo slave
el escocés Scotsman
Escocia *f.* Scotland
escoger (jo, –a) to choose
esconder to hide; *syn.* ocultar
la escopeta gun
escribir to write
escrito *p.p. of* escribir
la escritora writer
el escrúpulo scruple
la escuadra squadron, fleet
escuchar to listen (to)
la escuela school
la escultura sculpture
el esfuerzo effort
eso that; por —, for that reason, therefore
la espalda back
espantar to frighten, scare
el espanto fright, terror
espantoso, –a frightful
España *f.* Spain
español, –a Spanish
el español Spaniard
esparcir (zo, –a) to spread; —se be spread
especial special
el especialista specialist
la especie kind, sort
el espectro ghost
esperado, –a hoped for
la esperanza hope
esperar to wait (for); hope, expect
la espina thorn
espléndido, –a splendid
la esposa wife, spouse
el esposo husband; los —s husband and wife

count; **había** there was (were); **había que contar** one had to count

hábil clever, smart; skillful

la **habitación** room, chamber

el **habitante** inhabitant

habitual customary, habitual

hablar to speak; **oír —de** hear (speak) of

hacer to do, make; cause; **—caso a (de)** pay attention to, mind, notice; **—el papel de** play the part or role of; **—frío** be cold (weather); **—levantarse** make one get up; **—mal (daño) a alguien** hurt or harm somebody; **—preguntas** ask questions; **—saber** inform; announce; **—un viaje** take a trip; **—se** become; **—se amigos** become friends; **—se querer** make oneself liked or loved; **hace calor** it is warm; **hace mucho tiempo** a long time ago; **hace una semana (que)** a week ago; **hacía varias semanas** during several weeks; **Haga el favor de + inf.** Please + imper.; **Hágame el favor de cortar** Please cut; **Hizo traer al dueño** He had the owner bring; **Se hace arreglar las uñas** He has his nails manicured; **Se hace cortar el pelo y afeitar** He gets a haircut and a shave; **si me hace el favor** please

hacia toward

hallar to find; **—se** be (found); find oneself; syn. **encontrar**

el **hambre** f. hunger

hambriento, –a hungry

la **harina** flour

hasta till, until, up to; even; **—que** until, till

hay there is (are)

hecho p.p. of **hacer**

la **herencia** inheritance

la **herida** wound

herido, –a wounded

el **herido** wounded (person)

la **hermana** sister

el **hermanito** little brother

el **hermano** brother; pl. brother(s) and sister(s)

hermoso, –a beautiful, handsome

el **héroe** hero

la **hierba** grass

el **hierro** iron

la **hija** daughter

el **hijito** little son

el **hijo** son; pl. son(s) and daughter(s), children

hilar to spin (wool or thread)

el **hilo** thread

la **historia** history; story

el **historiador** historian

el **hogar** home

la **hoguera** bonfire, blaze

hola hello

el **hombre** man; **¡hombre!** man alive! **—de negocios** businessman; syn. **individuo**

el **honor** honor, privilege

los **honorarios** fee

la **honra** honor; reputation

la **honradez** honesty

honrado, –a honest, honorable

la **hora** hour, time; **media —,** half an hour

horrible horrible

el **horror** horror

hostil hostile, unfriendly

hoy today

la **esquina** corner (street)

la **estación** station; season

el **estado** state; condition; **los Estados Unidos** United States

estar to be; **¡está bien!** all right!; **—frío** be cold (things)

la **estatua** statue

la **estatura** stature

este, esta this; pl. **estos, –as** these

éste (ésta, éstos, éstas) this, this one; he; the latter; these

estimar to esteem

esto this

el **estómago** stomach

la **estrella** star

el **estudiante** student

estudiar to study

el **estudio** study

Europa f. Europe

la **evasión** escape, flight

evitar to avoid

exacto, –a exact, exacting

exagerado, –a exaggerated

el **examen** examination

examinar to examine; **—se** take an examination

excelente excellent

la **excepción** exception; **a —de** with the exception of

excepcional exceptional

excesivo, –a excessive, too much

excitado, –a agitated, excited

excitar to excite; **—se** get excited

la **exclamación** exclamation

exclamar to exclaim

la **excusa** excuse

excusarse to excuse oneself, apologize

la **existencia** life, existence

el **éxito** success; **tener —,** to be successful

el **experto** expert

la **explicación** explanation

explicar to explain; **—se** understand

explorar to explore

expresar to express, say

la **expresión** expression; feeling

expresivo, –a expressive

expuesto, –a displayed

extender (ie) to extend, stretch out

exterior outside, exterior

extraño, –a strange, queer; mysterious

extraordinario, –a extraordinary, exceptional

extremo, –a extreme, utmost

el **extremo** end

F

la **fábrica** factory

la **fabricación** manufacture

facial facial

fácil easy

el **fajo** roll; bundle

la **falda** skirt

la **falta** lack

faltar to be missing, lack; **—a** be absent from

la **fama** fame, reputation

la **familia** family

la **fantasía** fantasy, imagination

el **fantasma** ghost, phantom

fantástico, –a fantastic, strange

la **fascinación** spell, fascination

fascinado, –a fascinated, spellbound

fastidioso, –a boring, boresome, dull

la **fatiga** fatigue, exhaustion

fatigarse to become tired
el favor favor; haga el — de please; si me hace el —, please
favorito, –a favorite
el favorito favorite
la fe faith
la fealdad ugliness
la felicidad happiness
Felipe Philip
feliz happy
felizmente fortunately, happily
feo, –a ugly; bad
la feria fair
la ferocidad ferocity
feroz ferocious
el ferrocarril railroad
el fervor fervor, ardor
la fiebre fever
fiel faithful
fielmente faithfully
la fiesta festival, holiday; party
la figura figure, form, body; statue, statuette; — de barro clay figure
figurar to figure; act; —se imagine, fancy
fijado, –a fixed, arranged
fijamente fixedly, steadfast
fijar to fix; —se (en) notice
fijo, –a fixed; steady
el filete steak
el fin end; al —, = por —, at last, finally; en —, in short
final final
el final end
finalmente finally
fingir (jo, –a) to pretend, feign
fino, –a fine
firme firm
la física physics
físico, –a physical

flaco, –a thin, weak
el flan custard
la flor flower
los fondos funds, money
la forma form, shape
formar to form
la fórmula formula
la fortuna fortune; por —, luckily
el fósforo match; phosphorus
el fracaso failure
francés, –esa French
Francia f. France
Francisco Francis
franco, –a frank, sincere
la franqueza frankness
la frase sentence
la frecuencia frequency; con —, frequently, often
frente a opposite, facing, in front of
la frente forehead
el frente front; por — de in front of
fresco, –a fresh, cool
el fresco coolness, fresh air
la frescura freshness, coolness
el frijol kidney bean
frío, –a cold
el frío cold; hacer —, to be cold (*weather*)
frotar to rub
la fruta fruit
el fruto product
el fuego fire; ¡ —! fire!; shoot!
la fuente fountain
fuera outside
fuerte strong, vigorous; heavy; loud; *contr.* débil
la fuerza strength; grasp, hold
la fuga flight, scramble
el fugitivo fugitive
fumar to smoke
el funeral funeral

la furia fury, rage
furioso, –a furious; ponerse —, to become furious
el futuro future

G

la gala gala
el galán lover, wooer, suitor
la gana wish, desire; sentir —s de + *inf.* feel like + *pres. part.*
el ganador winner
ganar to win, earn; —se la vida earn one's living; *contr.* perder; gastar
la ganga bargain
el garbanzo chick-pea
la garganta throat
Gaspar Jasper
el gato cat
general general
el general general
generoso, –a generous
genial pleasant, cheerful; clever
la gente people
el gesto gesture; look, face, expression
el gigante giant
el gitano gypsy
gloriarse to praise oneself
el golfo rascal, vagrant, urchin
el golpe blow, thump; —s beating
la goma rubber
gordo, –a fat, stout
la gorra cap
el gozo joy
la gracia grace, charm
las gracias thanks; dar las — a alguien to thank someone; — thanks, thank you; — mil = muchas — many thanks, thank you very much

gracioso, –a witty, funny
el grado grade
graduarse graduate
gran great; big
Granada Granada, *c city in the south of Nearby is the Alham series of ancient Moorish ings.*
grande big, large; pequeño
grandioso, –a grandiose
el granito granite
gratis free, gratis
la gratitud gratitude, gratefu
grave grave, serious
la gripe grippe
gris gray
gritar to shout
el grito shout, cry, scream; un —, to utter a cry
el grupo group
guardar to keep, put aw — cama stay in bed
la guerra war
el guerrero warrior
guiar (í) to lead
gustar (a) to like
el gusto taste; pleasure; co mucho —, with great ple sure, gladly; mucho — e conocerle pleased to mee you; tanto —, pleased t meet you

H

la Habana Havana, *capital of Cuba*
haber to have (*used only as an auxiliary verb*); hay there is (are); hay que one must; hay que contar one has to

la **huerta** orchard, farm; (*the fertile region near Valencia*)
el **huerto** orchard
huir to run, flee
humano, -a human
el **humano** human being
húmedo, -a damp, humid
la **humildad** humility
humillar to humiliate
el **humo** smoke
el **humor** humor; **estar de mal (buen) —,** to be in a bad (good) humor

I

la **ida** departure; **— y vuelta** round trip
la **idea** idea
el **idiota** idiot
el **ídolo** idol
la **iglesia** church
la **ignorancia** ignorance
igual similar, alike; equal, same
igualmente equally; likewise
iluminado, -a lighted
la **ilusión** illusion
ilustre illustrious
la **imagen** image; statue
imaginable imaginable
la **imaginación** imagination; mind
imaginario, -a imaginary
imitar to imitate
la **impaciencia** impatience
impaciente impatient
impedir (i) to prevent, hinder
la **importancia** importance
importante important
importar to be important, matter
el **importe** amount, cost
imposible impossible

la **impresión** impression, feeling
el **impulso** impulse, urge
inactivo, -a inactive
la **inclinación** bow
inclinar to bend, bow, lower; **—se** bend
incluso *adv.* including
incomprensible not understandable, incomprehensible
la **inconsciencia** unconsciousness
inconsciente unconscious
increíble incredible
la **indecisión** indecision
independientemente independently
indicar to indicate, designate
la **indiferencia** scorn, indifference
indiferente indifferent, careless
el **indio** Indian
individual single, individual
infantil childlike, childish, young
infeliz unhappy
el **infeliz** poor fellow
el **inferior** inferior
inflamable inflammable
informar to inform
el **ingeniero** engineer
la **inicial** initial
la **injusticia** injustice
inmediatamente immediately
inmenso, -a immense
inmóvil motionless
la **inocencia** innocence
inocente innocent
inquieto, -a restless, uneasy
el **inquilino** tenant
inquirir to inquire
la **insistencia** determination, insistence

insistir to insist; — **en ir**
insist on going
el inspector inspector
inspirar to inspire
instalar to install, put up
el instante instant, moment; *syn.*
el momento
el instinto instinct
la institución institution
el instituto high school
la instrucción instruction; education
el instrumento instrument; tool
insultar to insult
el insulto insult
intacto, –a intact, untouched
la inteligencia intelligence; understanding
inteligente intelligent, smart
la intención intention
intenso, –a intense
el interés interest; concern; *pl.*
goods, property
interesado, –a interested
interesante interesting
interesar to be of interest, interest
el interior inside, interior
la interrogación questioning, interrogation
interrumpir to interrupt
inútil useless
inútilmente uselessly, in vain
inventar to invent
investigar to investigate
el invierno winter
invisible invisible
la invitación invitation
el invitado guest
invitar to invite
ir to go; be; — **a** + *inf.* be going + *inf.;* — **a ver** go and see; —**se** go away, go off, leave; **Vamos a guar-**
darla Let's keep it; **Vamos al grano** Let's come to the point; **Voy a hablar** I'm going to speak; **No voy a pagar** I'm not going to pay
la ira anger, wrath
irresistible irresistible
irritado, –a annoyed, irritated
Isabel Elizabeth
la isla island
izquierdo, –a left

J

jactarse (de) to brag about, boast of
jamás never
el jarro pitcher
la jaula cage
la jefa leader, female head
el jefe chief; boss, employer; warden
Jesús Jesus
José Joseph
Joselito Joe, Joey
el joven young fellow, young man
la joya jewel
Juan John
Juanito Johnny
el juego game, play
el jueves Thursday
jugar (ue) to play; — **a la pelota** play ball
el juguete toy, plaything
Julián Julian
Julio Julius
julio *m.* July
junio *m.* June
juntarse to meet, come together, crowd, unite
junto a beside, close to; *syn.* cerca de
juntos, –as together

jurar to swear, vow
justo, –a just, fair
la juventud youth
juzgar to judge

L

la the, her, it; — de that of,
that
el labio lip
el labrador farmer, peasant
el lado side
ladrar to bark
el ladrillo brick
el ladrón thief
el lago lake
la lágrima tear
lamentable deplorable
la lamentación lament
el lamento groan, lament
lamer(se) to lick
la lámpara lamp
la lancha boat, large rowboat
lanzar to throw; — un grito
utter a cry
largo, –a long
latir to beat
le him, to him, her, to her
leal loyal
leer to read
legal legal
lejano, –a distant, far
lejos far; a lo —, in the
distance; — de far from
lentamente slowly
lento, –a slow
el león lion
la letra letter; handwriting
levantar to raise; —se get up,
rise, stand up
la ley law
la libertad liberty, freedom;
privilege
libre free

la librería bookstore
el libro book
el licor liquor
limitar to border on
el límite limit, boundary
la limosna alms
limpiar to clean; graze, scrape
off; —se clean, wipe
la limpieza cleanliness
limpio, –a clean
lindo, –a pretty; *syn.* bonito
lírico, –a lyric
la lista list
listo, –a smart, clever; ready
literario, –a literary
lívido, –a livid, black and blue
el lobo wolf
la loción lotion, tonic
loco, –a crazy, mad, insane
el loco madman, insane person,
lunatic
lograr to be successful in;
— llegar succeed in arriving
Lolita Lolita
los, las the, them
la lucha struggle, fight, battle
luchar to struggle, fight
luego then, afterwards; *contr.*
ahora; *syn.* después
el lugar place; town; tener —,
to take place
el lujo luxury, splendor
lujoso, –a luxurious; high
class
la luna moon
el lunes Monday
la luz light

Ll

la llama flame
la llamada call
llamar to call; knock; — la
atención a attract one's at-

tention to; —se be called,
named; me llamo ... my
name is ...
el llanto weeping, crying, tears
llegar (a) to arrive; reach;
— a ser become; — a su
casa arrive *or* reach home
llenar to fill; —se be filled
lleno, -a filled, full; *contr.*
vacío
llevar to carry, take; lead;
have, hold; — una vida
lead a life, live; —se take
away, carry off
llorar to cry, weep; *contr.*
reír
el llorar weeping
llover (ue) to rain
la lluvia rain

M

la madera wood
la madre mother; *syn.* la mamá
Madrid Madrid, *capital of
Spain*
la madrugada dawn
el maestro, la maestra teacher;
master, boss
magnífico, -a magnificent,
imposing
la majestad majesty
mal *adv.* badly
mal *adj., short form of* malo
el mal evil; wrong
la malaria malaria
maldecir to curse
maldito, -a cursed, damned
la maleta valise, bag, suitcase
malo, -a bad, wicked
el malo wicked one
lo malo what is wicked; mis-
chievousness, roguery; the
worst thing

la mamá mama, mother; *syn.* la
madre
manchado, -a stained;
branded
mandar to send; command,
order; — (a) buscar send
for; — entrar en order to
enter (into)
manejar to drive
la manera manner, way; de
cualquier —, anyway, any-
how, in any case; de esta
—, in this way; de ninguna
—, by no means
la manga sleeve
el manicomio insane asylum
la manicura manicurist
la manifestación manifestation,
sign
la mano hand; a —, within
reach
mantener to keep; maintain,
support
la mantequilla butter
el manto cape; mantle
Manuel Emmanuel
Manuela Manuela
la mañana morning; de la —,
or por la —, in the morning
mañana *adv.* tomorrow;
desde —, from tomorrow
(on)
el maquinista engineer of loco-
motive
la maravilla marvel, wonder
marcar to mark
Marcos Mark
marchar to walk; —se go
away
la margarita daisy
María Mary
la marina navy
el marinero sailor
la mariposa butterfly

más more, most; — bien
rather; no —, no longer,
no more, any more; no . . .
— que only, nothing but;
¿ qué —? what else?

mas but

el masaje massage

la máscara mask

el matador killer

matar to kill; —se kill oneself

el material material

mayor greater, greatest; older,
oldest; el —, the oldest

me me, to me; myself

el médico doctor

medido, –a measured

medio, –a half

medio *adv.* half

el medio means; middle; en —
de in the midst of

meditar to meditate, think,
muse

mejicano, –a Mexican

el mejicano Mexican (*inhabitant*)

Méjico *m.* Mexico

la mejilla cheek

mejor better; el —, the best;
contr. peor

la memoria memory

el mendigo beggar

menor younger, youngest;
smaller; slight

el menor younger, youngest

menos less, least; except;
lo —, = a lo —, = al —,
= por lo —, at least

el mensajero messenger

mentalmente mentally

la mente mind

mentir (ie) to lie

la mentira lie

el menú menu, bill of fare

menudo: a —, often

merecer (zco, –a) to deserve;
warrant

el mérito merit

el mes month

la mesa table

mestizo, –a mixed breed

meter to put; —se go in

el método method

mi my

mí me

el miedo fear; dar — a frighten,
scare; tener — de (que) to
be afraid of (that)

el miembro member

mientras (que) while; —
tanto meanwhile, in the
meantime

mil thousand

la milla mile

millonario millionaire

el ministro minister

el mío, la mía mine

la mirada glance, look

mirar to look (at)

la misa Mass; la — mayor high
Mass

miserable wretched

la miseria poverty, wretchedness

mismo, –a same; very; itself;
él —, he himself; yo —, I
myself

el misterio mystery

la mitad half

Mme. Mrs., madam

la moda style; de última —,
the latest style

el modelo model

moderno, –a modern

modesto, –a modest, humble;
paltry

el modo mode, manner; de este
—, in this way; de ningún
—, under no circumstances,
by no means

molestar to annoy, bother, trouble
la molestia bother, trouble
el molino mill
el momento moment; time
el monarca monarch
el monasterio monastery
la moneda coin
el monstruo monster
la montaña mountain
montar (en) to ride, mount; climb; —se mount; climb
el monte mount, mountain
el montón pile, heap
moral moral
morder (ue) to bite
morir (ue) to die; —se be dying, die; *contr.* nacer
moro, –a Moorish
el moro Moor
el mostrador counter (*of a store*)
mostrar (ue) to show
mover(se) (ue) to move
el movimiento movement, action
el mozo young man; waiter
la muchacha girl
el muchacho boy; los —s boy(s) and girl(s)
muchísimo a great deal
mucho, –a much, a great deal of; *pl.* many; *adv.* much, a great deal; *contr.* — poco; —s pocos
mudarse to move
mudo, –a speechless, dumb, silent
el mueble piece of furniture
la muerte death; *contr.* la vida
el muerto dead (man); *contr.* el vivo
muerto, –a dead
muerto *p.p. of* morir
la muestra sign, indication

la mujer woman; wife
la mula mule
la multitud crowd, multitude
el mundo world; todo el —, everybody
murmurar to murmur
el museo museum
muy very, quite

N

nacer (zco, –a) to be born; *contr.* morir
el nacimiento Nativity, crèche (*containing clay figures representing the Nativity*)
nada nothing; — más que = solamente = sólo only; *contr.* algo
nadar to swim
nadie no one, nobody; not anyone; *contr.* alguien
el nativo native
natural natural
naturalmente naturally, of course
náutico, –a nautical, marine
la navaja knife
necesario, –a necessary; *syn.* preciso
la necesidad necessity, need
necesitar to need
negar (ie) to deny; —se a deny, refuse; Se negó a pagarlo. He refused to pay it.
el negocio business; deal; *pl.* business
negro, –a black, dark
el nervio nerve
nervioso, –a nervous
nevar (ie) to snow
ni nor, neither; —...— neither ... nor

la nieta granddaughter
el nieto grandson; *pl.* grandchildren
la nieve snow; el copo de —, snowflake
ningún, ninguno, –a no, none, not any . . .; any
ninguno (*pro.*) no one, nobody; none; *contr.* alguno
la niña child; girl
el niño child; boy; *pl.* children; *syn.* el chico; el Niño Christ Child; el — Dios Christ Child; el — Jesús Christ Child
no not, no; —. . . más no longer, not . . . anymore; —. . . más que only; —. . . nada nothing, not . . . anything; —. . . sino only; ya —, no longer
noble noble
la noche night, evening; *contr.* el día
la Nochebuena Christmas Eve
el nombre name
el norte north
norteamericano, –a (North) American
nos us
la nota mark; note
notable famous, noteworthy, prominent
notar to note, notice, observe
la noticia news
la novela novel
el novelista novelist
noventa ninety
el novio, la novia sweetheart, fiancé(e); *m. pl.* sweethearts
la nube cloud
nuestro, –a our
nueve nine
nuevo, –a new; de nuevo =

otra vez again, once more; *contr.* viejo
el número number; ticket
numeroso, –a numerous
nunca never

O

o or
obedecer (zco, –a) to obey
obediente obedient
el objeto object, thing; purpose
obligar to oblige; — a force
la obra work; — maestra masterpiece
el obrero workman, worker
observar to observe
la obstinación stubbornness
obstinarse (en) to be obstinate (in)
la ocasión occasion
la Oceanía Oceania
ocultar to hide
la ocupación work
ocupado, –a busy, occupied; taken
ocuparse (de) to bother; attend to, pay attention to
ocurrir to happen, occur; lo ocurrido what happened; se le ocurrió he got
ochenta eighty
ocho eight
odiar to hate
el odio hate, hatred
ofender to offend
el oficial officer
la oficina office
ofrecer (zco, –a) to offer
¡ oh ! oh !
el oído ear (*inner*)
oír to hear, listen; al —, upon hearing; — hablar hear of,

hear speak of; **se oyó** was heard
el ojo eye
la ola wave (*ocean*)
Olimpia Olympia
olvidar(se) (de) to forget
el olvido forgetfulness, oblivion
la olla pot
el ómnibus omnibus
operar to operate
la opinión opinion
opuesto, –a opposite
el orador orator
la orden order, command; **a sus órdenes** at your service
ordenar to order
la oreja ear (*outside*)
organizar to organize
el orgullo pride
el origen origin
original original
la orilla shore; edge; — **del mar** seashore
el ornamento ornament
el oro gold
Oscar Oscar
oscurecerse darken
la oscuridad darkness
oscuro, –a dark; limited
el oso bear
otro, –a other, another; **otra vez = de nuevo** again, once more
la oveja sheep
Oviedo *city in northwest Spain*

P

la paciencia patience
el paciente patient
padecer (zco, –a) (de) to suffer (from)
el padre father; *pl.* —**s** father and mother, parents

la paga pay, wages
pagar to pay (for)
el pago pay, payment
el país country
la paja straw
el pájaro bird
la palabra word
el palacio palace
pálido, –a pale
la paliza beating
la palmada hand clapping; **dar** —**s** clap one's hands
el palo stick, pole
la paloma dove, pigeon
el pan bread
Panchito Frankie
el pánico panic
el pantalón trousers
la pantera panther
el pañuelo handkerchief
el papá papa, father; *syn.* **el padre**
el papel paper; document
la papeleta ticket
el paquete package; bundle
para for; to, in order to; — **que** so that, in order to; **¿** — **qué?** what for? for what purpose?
el paraguas umbrella
el paralítico paralytic
paralizado, –a paralyzed
parar to stop; —**se** stop
pardo, –a brown
parecer (zco, –a) to seem, appear
la pared wall
la pareja (dancing) partner
el paria outcast, pariah
el pariente relative
el parque park
la parra grapevine
la parte part; **por todas** —**s** everywhere

partir to split, divide; break
el pasado (the) past
el pasaje fare
el pasajero traveler, passenger
pasar to pass, happen, take place; spend (time); ¿ qué les pasa? what is the matter with them? —se spend (time)
pasear(se) to take a walk, stroll
el paseo walk, promenade; dar un —, take a ride *or* walk
la pasión passion
el paso step, stride
el pastel cake, pie
la pata paw
la patada kick
la patata potato
el patio courtyard, inner court open to the sky
la patria fatherland, mother country
el patrón, la patrona patron; boss; owner
el payaso clown
la paz peace
el pecho chest
el pedazo piece
el pedestal pedestal, base
pedir (i) to ask (for)
Pedro Peter
pegar to strike, beat
peinar(se) to comb, comb one's hair
pelear to fight; —se fight, quarrel
el peligro danger
peligroso, –a dangerous
el pelo hair; corte de —, haircut
la pelota ball; jugar a la —, to play ball
la pena sorrow

penetrante shrill; penetrating
penetrar to penetrate, enter
la penitencia penance, penitence
pensar (ie) to think; intend; — en think of; — + *inf.* intend + *inf.*
pensativo, –a thoughtful; thinking
peor worse, worst; *contr.* mejor
Pepe Joe
pequeño, –a small, little
el perdedor loser
perder (ie) to lose; — de vista lose sight of; Pierde cuidado. Don't worry.
la pérdida loss
perdido, –a lost
el perdón pardon
perdonar to pardon
perfectamente all right
perfumado, –a perfumed
el perfume perfume
el periódico newspaper
el periodista newspaperman, journalist
la perla pearl
el permiso permission
permitir to permit, allow ¿ Me permite este baile? May I have this dance?
pero but; *syn.* mas
el perrito little dog, doggie
el perro dog
perseguir (i) to pursue, run after
la persona person
el personaje character (*of a story or play*)
persuadir to persuade
pertenecer (zco, –a) to belong
pesado, –a heavy
pesar to weigh

el **pesar** grief, trouble; **a — de**
in spite of
el **pescado** fish (*when dead*)
peseta Spanish monetary unit
el **peso** dollar; peso (*monetary
unit of Central, South America, and Mexico*)
la **pestaña** eyelash
la **petición** request, petition
petrificado, –a stupefied, pet-
rified
el **pez** (*pl.* **peces**) fish (*when
alive*)
piar to chirp, cry
el **pícaro** scoundrel, rascal
el **pico** pick, pickax
el **pie** foot; **de —s a cabeza**
from head to foot
la **piedra** stone
la **piel** skin
la **pierna** leg
la **pieza** piece
pintar to paint; describe
el **piso** floor
la **pistola** pistol
el **placer** joy, pleasure
el **plan** plan
plano, –a flat
el **plano** plan (*drawing*), layout
la **planta** plant
plantar to plant
la **plata** silver; money
la **plataforma** platform
el **plato** plate, dish
la **plaza** square
pobre poor
el **pobre** poor man, poor boy
la **pobreza** poverty
poco, –a little, slight; *pl.* few;
a los —s días after a few
days; **al — rato** shortly
after
poco *adv.* little; **— a —,** little
by little, gradually; **—**

después shortly after; **un
— de pelo** a little hair;
contr. **mucho**
poder (**ue**) to be able, can;
— más be more powerful
el **poder** power
el **poema** poem
el **poeta** poet
la **policía** police, police force;
el —, policeman
Polifemo (*a mythical figure
and one of a group of one-eyed
giants*)
el **polvo** dust
poner to put; **— al tanto de**
inform; **— una cara** make a
face; **—se** put on; become;
put oneself; **—se a torcer**
begin to roll (*cigarettes*); **—se
de rodillas** kneel; **—se en
pie** stand up; *syn.* **colocar**
popular popular
por for; along, by; from;
in; on; per; over; through;
with; because, on account
of; **¡ — Dios!** For goodness sake!; **— eso** therefore, for that reason; **—
favor** please; **— fin** finally,
at last; **— la mañana** (la
tarde, la noche) in the
morning (afternoon, eve-
ning); **— lo menos** at
least; **¿ por qué?** why?
— supuesto of course,
naturally; **— todas partes**
everywhere; **— último** finally, at last
la **porción** portion
porque because
el **porvenir** future
poseer to have, possess, own
poseído, –a possessed
la **posición** position

el **postre** dessert
la **práctica** practice
practicar to practice
el **precio** price
la **preciosidad** beauty
precioso, –a precious, wonderful, beautiful
precisamente exactly, precisely
preciso, –a necessary
preferir (ie) to prefer
la **pregunta** question; **hacer una —,** to ask a question; *contr.* la **respuesta**
preguntar to ask; *contr.* **contestar, responder**
el **premio** prize, reward
preocupar(se) to worry
preparado, –a ready, prepared
preparar to prepare; **—se para** prepare oneself for
el **preparativo** preparation
la **presencia** presence; stay
presenciar to witness
presentar to introduce, present
el **presente** present
el **preso** prisoner
prestar to lend, give; **— servicios** serve
presunto, –a supposed, would-be
pretendido, –a would-be
la **primavera** spring
primer(o), –a first; *contr.* **último**
primero *adv.* at first, first
el **primo,** la **prima** cousin
principal main, principal
el **príncipe** prince; **los —s** prince and princess
principiar to begin; **— a** begin; *syn.* **empezar**

el **principio** beginning
la **prisa** haste, hurry
el **prisionero** prisoner
probar (ue) to test, try out; prove
el **problema** problem
procurar to try; get; give; secure; entitle
producir (zco, –a) to raise, produce
el **producto** product
la **profesión** profession, trade
el **profesor** teacher, professor
profundamente soundly, deeply
profundo, –a deep, profound
prohibir to forbid
prolongar to extend, prolong
la **promesa** promise
prometer to promise, assure
pronto soon, quickly; **de —,** suddenly, all of a sudden; **lo más — posible** as soon as possible
pronunciar to pronounce
el **propietario** owner, proprietor
propio, –a own
la **proposición** proposition
el **propósito** purpose, objective, aim
la **protección** protection
el **protector** protector
proteger (jo, –a) to protect
la **protegida** ward, protégée
la **protesta** protest, objection
protestar to object, protest
la **provincia** province
próximo, –a next
proyectar to plan
el **proyecto** project, plan
la **prueba** proof; **en — de** as proof of
la **psicología** psychology
publicar to publish

el **público** public
el **pueblo** town, village; people
el **puente** bridge; deck (*of a boat*)
la **puerta** door; gate
el **puerto** port
pues well; for; then; — entonces well then
puesto *p.p. of* poner
la **punta** point, end
puntual punctual, on time
la **pupila** iris (eye); pupil
puro, –a pure

Q

que that, which, who, whom; than; because; for; to; el —, the one who; lo —, what, that which
¿ **qué**? what?; ¡ — bueno! how good!; ¡ — hombre! what a man!; ¡ — lindo! how pretty!; ¿ — tal? how? how goes it? ¿ para —? what for? ¿ por —? why?
quedar(se) to remain; be situated, be; —se con keep
la **queja** complaint; moan
quejarse to complain
quemado, –a burnt
quemar to burn; —se be burning
querer to want; — a love, like, be fond of; ¿ qué quiere decir? what is the meaning of? —se love each other
querido, –a dear
el **queso** cheese
quien who, whom; he who
¿ **quién**? ¿ —es? who? whom?; ¿ de —? whose?
el **Quijote** Don Quixote (*master-*

piece of Spanish literature, short form of Don Quijote de la Mancha)
la **química** chemistry
químico, –a chemical
quince fifteen
quinientos, –as five hundred
quinto, –a fifth
quitar to take away, remove; —se take off
quizá(s) perhaps

R

el **rabo** tail
el **racimo** bunch; — de uvas bunch of grapes
la **rama** branch
Ramón Raymond
rápidamente rapidly
la **rapidez** speed, rapidity
raro, –a strange, rare
el **rato** a while; al poco —, after a short while, shortly after
la **raya** stripe
la **raza** race; breed
la **razón** reason; tener —, to be right
la **reacción** reaction
real royal; good
el **real** ¼ of a peseta
el **realista** realist
realizar to materialize, make real
la **rebaja** rebate, reduction
rebelde rebellious
la **rebelión** rebellion
la **receta** recipe; prescription
recibir to receive; *contr.* dar
el **recipiente** vessel, bowl, container
reclamar to claim
recoger (jo, –a) to pick (up)

la recompensa reward
reconocer (zco, -a) to recognize
recordar (ue) to remember
la reducción discount, reduction
refugiarse to take refuge
regalado, -a given as a gift; una niña regalada a "gift" child
regalar to give (as a gift)
el regalo present, gift
el regaño scolding
la región region, area, section
regresar to return
regular moderate, medium
reír(se) (i) to laugh; —se de laugh at
el relato narrative, story
la religión religion
el reloj watch, clock
reñir (i) to scold; quarrel
la reparación repair
repente: de —, suddenly, all of a sudden; *syn.* de pronto
repetir (i) to repeat
replicar to reply
reponer to replace, restore; —se recover, come to
reprender to scold
el representante representative
representar to represent
el reproche reproach, scolding
requerir (ie) to require
reservar to reserve, have in store
el resfriado cold
residir to reside
resistir to suffer, stand, bear
la resolución determination, resolution
el resorte spring (*not water, not a season*)
respetable respectable; generous

respetar to respect
el respeto respect
la respiración breathing
respirar to breathe
responder to answer; *syn.* contestar
la respuesta answer
el restaurante restaurant
el resto rest, remainder
resuelto, -a determined, resolute
el resultado result; prospect
resultar to be, result
la retirada retreat
retirar fall back, retreat
reunir (ú) to meet; —se unite, come together, meet
el revisor conductor
la revista magazine
el revólver revolver
el rey king; *pl.* king(s) and queen(s)
rezar to pray
Ricardo Richard
rico, -a rich; delicious, tasty; *contr.* pobre
el riego irrigation
la rienda rein
la rifa raffle
rifar to raffle
el rincón corner, nook
el río river
la riqueza riches, wealth
la risa laughter
el rival rival
la rivalidad rivalry
robado, -a stolen
robar to steal
Roberto Robert
rodar (ue) to roll (down)
rodear to surround
la rodilla knee; de —s on one's knees; ponerse de —s to kneel down

rogar (ue) to request, ask
rojo, –a red
romper to break; burst; tear;
—se break
ronco, –a gruff, hoarse, harsh
la ropa, clothes, clothing
Rosa Rose
Rosita Rosie
el rostro face, countenance
roto, –a broken; torn
roto *p.p. of* romper
la rubia blond
rubio, –a blond
el ruido noise
ruidoso, –a noisy
la ruina ruin; shambles
el rumor noise, sound
rural rural, country
rústico, –a rustic

S

el sábado Saturday
saber to know; — sentarse
know how to sit up
el saber knowledge
sabio, –a wise
el sabio sage, learned
el sable sword, saber
sacar to take (out); empty
el sacerdote priest
el saco bag
el sacrificio sacrifice
sacudir to shake
Saint Nazaire *important port
in France*
la sala parlor, living room; hall
la salamandra salamander, lizard
el salario salary
la salida departure, leaving; exit,
way out
salir to leave, go out, come
out; rise; — bien del (en)
el examen pass the examina-

tion; — de casa leave the
house; — mal fail; *contr.* —
de, entrar en
saltado, –a bulging
saltar to jump
el salto jump, leap
la salud health
salvaje savage, wild
el salvaje, la salvaje savage
(person)
salvar to save, salvage
salvo save, except for
San (*short form of* Santo) saint
el sanatorio sanatorium
la sangre blood
sano, –a healthy
San Sebastián *Spanish summer
resort in the north of Spain*
el santo saint
el sastre tailor
la satisfacción satisfaction
satisfacer to satisfy
satisfecho, –a satisfied, pleased
se each other, one another, for
(oneself); (*often indicates
the passive voice*)
el sebo grease
secar(se) to dry (oneself)
seco, –a dry; sharp
secreto, –a secret
el secreto secret
seguida: en —, at once,
immediately
seguido, –a continued, in a row
seguir (i) to follow; continue
(on); — trabajando keep
on working
según according to
segundo, –a second
el segundo second
seguramente surely
seguro, –a sure; real; safe;
¡ seguro ! surely ! abso-
lutely !

seis six

la semana week

el senador senator

sencillo, –a easy, simple; one
way (ticket); *syn.* fácil

sentado, –a seated

sentar (ie) to seat; put; —se
sit down; *contr.* —se, levantarse

el sentimiento feeling, sentiment

sentir (ie) to regret; feel;
hear; — ganas de + *inf.*
feel like + *pres. part.*; —se
feel; lo siento mucho I am
very sorry

la seña sign

la señal sign; trace

señalado, –a pointed out

señalar to indicate, designate;
point out

el señor sir, Mr., gentleman; el
Señor the Lord; *syn.* el
caballero

la señora lady, madam, ma'am

la señorita Miss, young lady,
ma'am

la separación separation

separado, –a separate

separar to separate; —se go
off, draw away from

septiembre September

ser to be

el ser being, person

el sereno night watchman

la serie series

serio, –a serious; *adv.* seri-
ously

el servicio service

el servidor (humble) servant

servir (i) to serve; ¿ En qué
puedo —le? What can
I do for you? May I help
you?

la sesión meeting, session

setenta seventy

severo, –a severe

si if

sí yes; indeed

siempre always; *contr.* nunca

la siesta siesta, afternoon nap

siete seven

el siglo century

significar to mean

el signo sign

siguiente following

silbar to whistle; hiss, whiz

el silencio silence, quiet

silencioso, –a silent, soft

la silueta silhouette

Silvestre Sylvester

la silla chair

el sillón easy chair, armchair

la simpatía preference; sym-
pathy, friendliness

simpático, –a charming,
friendly, nice

simple simple, innocent

sin without; — embargo
however, nevertheless

sincero, –a sincere

sino but; except

siquiera *adv.* at least; ni —,
nor either, not even

el sirviente servant, helper; la
sirvienta servant, maid

el sistema system

el sitio place

la situación situation

sobre on, upon; *syn.* en

el sobre envelope

sobre todo *adv.* especially

el sobretodo overcoat

el sobrino nephew

la sociedad society, club; people

el socio partner; member

el socorro help; casa de —,
first aid station

el sofá couch

el **sol** sun
solamente only; *syn.* **sólo**
el **soldado** soldier
la **soledad** solitude
soler (ue) to be accustomed to
solo, –a alone; single, solitary
sólo *adv.* only; **no** — ... **sino**
(**que**) **también** not only
... but also; **tan** —, only
soltar (ue) let go; loosen
el **soltero** bachelor
el **sollozo** sob
la **sombra** shade, shadow
el **sombrero** hat
someter to subject
sonar (ue) to sound
el **sonido** sound
sonoro, –a resounding, high-
sounding
sonreír(se) (i) to smile
sonriente smiling
la **sonrisa** smile
soñar (ue) to dream; — **con**
dream of
la **sopa** soup
soportar to endure, stand, bear
sordo, –a deaf; dull, hollow
sorprender to surprise; —**se**
be surprised
sorprendido, –a surprised
la **sorpresa** surprise
sospechar to suspect
sospechoso, –a suspicious,
mistrustful
sostener to support
su his, her, its, their, your
suavemente gently
subir(se) a to go up, climb;
contr. **bajar**
el **subteniente** second lieutenant
el **suburbio** suburb
suceder to happen
el **suceso** happening, event
sucio, –a dirty

el **sudor** sweat, perspiration
el **sueldo** salary
el **suelo** floor; ground
suelto, –a loose
el **sueño** dream; sleep
la **suerte** luck; ¡ **buena** —!
good luck!
suficiente sufficient, enough
el **sufrimiento** suffering
sufrir (de) to suffer (from);
stand, endure, bear; experience; —**se** be endured
el **suicidio** suicide
sujetar to hold (fast)
sujeto, –a tight; subjected,
fastened, tied
la **suma** sum, amount
sumamente extremely
sumo, –a utmost
superior superior; upper
la **superioridad** superiority
supersticioso, –a superstitious
suplicar to beg, implore
suponer to suppose
supremo, –a supreme
supuesto: por —, of course,
naturally
Suramérica South America
suspirar to sigh
• el **suspiro** sigh
el **susto** fright, scare
sutil keen, observant
suyo, –a your, his, her, its,
their; yours, his, hers, its,
theirs
el **suyo** his, hers, theirs; her own
(*people*)
lo **suyo** one's own (*property*)

T

la **tabla** board
tacaño, –a stingy
tal such (a)

también also, too; *contr.*
tampoco
tampoco neither, not... either
tan as, so, such (a); —
(+ *adj.* or *adv.*) como as
(+ *adj.* or *adv.*) as
tanto, -a so much; *pl.* so
many
tanto *adv.* so much, so; tanto
... como ..., both ... as
well as ...; entre — meanwhile, in the meantime
tardar to be late; — mucho
en volver be very long in
coming back
tarde late
la tarde afternoon; por la —,
in the afternoon
la tarea task, job
la tarifa fare
la tarjeta card
te you, to you
el teatro theater; place
el techo roof
telefónico, -a telephonic
el teléfono telephone
la telegrafía telegraphy
el telégrafo telegraph
el telegrama telegram
el tema theme, subject
temblar (ie) to tremble,
shiver; vibrate
temer to fear, be afraid
temido, -a feared
el temor fear
la tempestad storm, tempest
temprano early
tender (ie) to extend, stretch
out
tener to have; hold; — ...
años be ... years old; —
éxito be successful; — frío
be cold (*person*); —hambre
be hungry; — lugar take

place; — miedo be afraid;
— que (pagar) have to
(pay); — razón be right;
no — más ... que only
have; No tengas cuidado.
= Pierde cuidado. Don't
worry.; Tenga la bondad
de quitar = Haga el favor
de quitar Please remove;
Tengo entendido que ...
I understand that ...;
Usted tiene que bajarse.
You have to *or* must get
down.
el teniente lieutenant
tercer(o), -a third
terminar to end, finish, termi-
nate; *syn.* acabar; *contr.*
principiar
la ternura tenderness
el terreno land, ground
terrible horrible, terrible
el terror terror
el tesoro treasure
ti you, to you
la tía aunt
el tiempo time; weather
la tienda store; tent
la tierra earth, land, ground
el tigre tiger
las tijeras scissors
el timbre bell (electric)
el tío uncle; *pl.* uncle(s) and
aunt(s)
el tipo type
la tirana tyrant
tirar to throw, throw away;
— de pull by; —se dash,
throw oneself
el tiro shot
el título title
tocar ring; touch; — a be
one's turn; — a la puerta
knock at the door; — decir

a alguien be one's turn to
say; —se feel, touch
todavía yet, still; — no not yet
todo, -a all; every; *pl.* everybody, all; todo el mundo
everybody; —s los días
everyday; —s los sábados
every Saturday; en (por)
todas partes everywhere
todo *ind. pro.* all, everything;
contr. nada
Toledo Toledo — *ancient city
in New Castile, Spain*
tomar to take; drink; *syn.*
coger
Tomás Thomas
el tono tone
la tontería nonsense, foolishness
tonto, -a foolish, stupid
el tonto fool
torcer (ue) to roll (*cigarettes*)
el toro bull
torpe dull, stupid; *contr.* listo
la torre tower
la tortura torture
toser to cough
el trabajador workman, worker
trabajar to work; cultivate;
contr. descansar
el trabajo work, job; *syn.* obra
traer to bring (back); carry
la tragedia tragedy
el traje suit (*of clothes*)
la trampa trickery
tranquilizar to calm
tranquilo, -a calm, tranquil,
quiet
transparente transparent
el transporte transportation
tratar to treat, deal (with); —
de + *inf.* try + *inf.*; —se de
deal with, be a question of
través: a — de across;
through

treinta thirty
trémulo, -a tremulous, trem-
bling
el tren train
tres three
trescientos, -as three hundred
la tribu tribe
triste sad; *contr.* alegre
la tristeza sadness, sorrow
la trompeta trumpet
la tropa troop
tropezar (ie) to stumble;
bump against
tropical tropical
la trucha trout
el trueno thunder
tú you
tu your

U

último, -a last; latest; por
—, finally, at last; *contr.*
primero
un(o), -a one, a, an; *pl.* some
únicamente only, solely
único, -a only, sole
el uniforme uniform
unir to join, unite; —se
become united; be joined
universitario,-a (of) a college
unos, -as some
untar smear
la uña fingernail
urgente necessary, urgent
usar to use; wear (*clothes*)
usted you
la uva grape

V

las vacaciones vacation; pasar
las —, to spend the vacation
vacilar to hesitate, vacillate

vacío, –a empty, vacant
el vagabundo tramp, vagabond
vago, –a vague, hazy
Valencia *city and seaport on the eastern coast of Spain*
valer to be worth, cost; prevail; ¿ Cuánto vale? How much is it?
valeroso, –a brave, courageous
valiente valiant, brave
el valor value; valor, courage, bravery
vano, –a vain; en —, in vain
el vapor steamer
varios, –as several
el vaso glass
la vecina neighbor
vecino, –a neighboring, near
el vecino neighbor
veinte twenty
veinticinco twenty-five
vencer (zo, –a) to win
vendar to blindfold
vender to sell; *contr.* comprar
el veneno poison
venerable venerable
venerado, –a revered, held in reverence
la venganza vengeance
venir to come
la ventana window
la ventanilla (car) window
ver to see; vamos a —, let's see; —se see oneself
Veracruz *city on the gulf of Mexico*
el verano summer
veras: de —, truly, really
la verdad truth; en —, truly, really; es —, *or* — es it's true; *contr.* mentira
verdadero, –a real, true, genuine

verde green
el verde green color
la verdura greens, vegetables; las —s vegetables, greens
la vergüenza shame
la versión version
vestido, –a dressed
el vestido dress
vestir(se) (i) to dress
la vez time; a la —, at the same time; a mi —, in (my) turn; de — en cuando from time to time; en — de instead of; otra —, again; de una — para siempre once and for all; a veces = algunas veces sometimes, at times; dos veces twice
viajar to travel
el viaje trip, journey; hacer un —, to take a trip
el viajero traveler, passenger
la víctima victim
la vida life; *contr.* la muerte
la vieja old lady
viejo, –a old; *contr.* nuevo; joven
el viejo old man
el viento wind
la viga beam
la vigilancia watchfulness, vigilance
vigilar to watch, keep guard
la viña vineyard
la violencia intensity, violence
el violín violin
la Virgen Virgin
la virtud virtue
visible apparent, visible
la visita visit, call
el visitante visitor
visitar to visit
la vista sight
visto *p.p. of* ver

la viuda widow
viudo, -a widowed
vivir to live; *contr.* morir
el vivir living
vivo, -a alive
volar (ue) to fly
el volumen volume
la voluntad will
volver (ue) to return, go
back; turn; make; — a
casa *or* — para su casa
return home; — a hacer do
again; — atrás fall back;
— en sí to come to, regain
consciousness; —se turn
(around); —se loco lose
one's mind
la voz voice

la vuelta turn; wagging; dar
una —, to take a walk; turn
around

Y

y and
ya now; already; — no no
longer
la yerba grass
yo I

Z

el zanco stilt
el zapato shoe
la zona zone, district
zoológico, -a zoological

45678910